Honra & Grandeza

Cómo la honra nos lleva
a experimentar
una vida
en niveles mayores

Para Joe

Con Cariño
de tus Pastores
David y laura C

José Carucci Ph. D.

04/18/18

Diseño de portada:
Diagramación y montaje: Erubí Molina Dávila

José R. Carucci
Autor

ISBN
978-1-63452-201-4

Segunda impresión 2017

CONTENIDO

AGRADECIMIENTO

Doy mi más sincero agradecimiento a José Vladimir Lugo quien es egresado del Seminario Teológico Fuller en Pasadena, California, por la revisión del manuscrito de este libro.

INTRODUCCIÓN

Desde hace un tiempo atrás el Señor me ha inquietado sobre este tema. Yo mismo he tenido que revisarlo cuidadosamente, no desde el punto de vista intelectual, sino en mi propia vida. La autoridad que podamos tener en un tema se deriva de que vivamos lo que hablamos con referencia a ese tema en particular.

Comencé a concientizar que la honra es un principio de la vida en el Reino de Dios y que sin la aplicación del mismo es imposible introducirnos a dimensiones espirituales de grandeza. ¿Cuántas veces hemos pasado por alto el honrar a aquellas personas que Dios ha puesto en nuestro camino en ciertos momentos de nuestra vida para ayudarnos? ¿O aquellas que el Señor ha utilizado para aconsejarnos en un momento en el cual lo requeríamos? ¿Y qué tal de aquellas que nos respaldaron en momentos difíciles o nos enseñaron lo que hoy sabemos de un oficio determinado? Pero aún más importante, ¿Cuándo fue la última vez que honramos a alguien que haya fallado para volverlo a restaurar en la posición que antes ocupaba?

¿Cuándo fue la última vez que nos dirigimos a alguna de estas personas y les expresamos sinceramente la honra por lo que hicieron? ¿Cuándo fue la última vez que fuimos ante ellos y les sembramos una ofrenda de honra como una señal profética en el mundo espiritual de que reconocemos que fueron instrumentos de Dios para apoyarnos?

El no hacerlo, es un claro indicio de que no entendemos lo que significa la honra dentro del reino de Dios. Aún más, puede ser un indicio de que probablemente seamos desagradecidos, lo cual es algo que no nos permitirá avanzar y nos llevará a terminar mal nuestra vida cristiana.

El reino de Dios se fundamenta en la honra. Aún los reinos humanos se fundamentan en la honra. Las relaciones humanas se fundamentan en la honra entre unos y otros. La milicia fundamenta su autoridad en que todos los miembros de la misma honran a sus superiores aunque no estén de acuerdo con ellos. Cuando un presidente de la república llega a un recinto todos los presentes se ponen de pie para honrar su posición aunque sean del partido contrario. Cuando vamos a una corte y el juez entra al reciento todos los presentes se colocan de pie para honrar la posición que ocupa este.

En este libro presento diferentes aspectos de lo que es la honra, su significado dentro del Reino de Dios, y el impacto que puede causar para que nosotros como creyentes podamos avanzar hacia nuevas dimensiones espirituales. Muchas veces creemos que nuestros actos son más importantes que nuestros principios. Y la verdad es que nuestros principios siempre son más importantes que nuestros actos.

Ultimadamente, nuestros actos siempre manifiestan los principios en los cuales creemos y en los cuales se fundamenta nuestra vida. Los resultados que obtenemos en nuestra vida dependen directamente de nuestros principios.

Espero que este libro le anime a una profunda reflexión sobre la honra y le provea de sugerencias prácticas para aplicarlas en su vida.

José R. Carucci

Capítulo 1

RELATOS CONTEMPORÁNEOS
DE HONRA

Estos relatos son de la vida real y ocurrieron de la forma en la cual los voy a narrar. Para no revelar las identidades de los protagonistas no voy a mencionar sus nombres, ni el nombre de las ciudades o países en los cuales tuvieron lugar los mismos.

Relato #1.
El pastor que honró el cumplimiento de la palabra profética

Mientras estaba en un tiempo de oración profunda con Dios muy de mañana, el Señor trajo a mi mente "pronto vas a viajar a otro país porque te van a honrar." Me llamó la atención esto ya que en toda mi vida ministerial (desde 1985) eso sólo ha ocurrido unas tres veces. Por supuesto yo ejerzo el ministerio que Dios me ha dado con todo mi corazón y sin buscar que me lo reconozcan. Estoy claro que al final es el Señor quien nos da la mayor honra.

Tres días después recibí una llamada de larga distancia a las 6:00 de la mañana de un pastor de una nación a la cual el Señor me había enviado a ministrar hacía varios años atrás. Por diversas razones ambos habíamos perdido la comunicación. Este pastor comenzó a hablar y me dijo: "Dr. Carucci, estábamos pensando en usted hace unos días atrás y nos dimos cuenta de que no hemos sido justos con usted. No le hemos honrado. Usted fue la persona que Dios utilizó para dar la palabra profética sobre el crecimiento de nuestra iglesia hace varios años atrás. Ahora queremos que venga a nuestra iglesia porque queremos honrarlo." Viajé a esa nación y ciertamente la palabra profética que el Señor me había puesto declarar, y ministrar activando esa dimensión de crecimiento, se había cumplido textualmente. El pastor proclamó públicamente palabras de honra a mi ministerio y las respaldó con una muy buena ofrenda. Ese pastor ha continuado experimentando un crecimiento extraordinario en su ministerio. **La clave: es un hombre de honra.**

Relato #2.
La restauración a través de la honra

Viajé a un país a realizar una actividad de nuestro ministerio Valle de la Decisión denominada "Ayuno para pastores." Cientos de pastores en cada una de las naciones en la cual se realiza el mismo se concentran en un campamento para ayunar durante tres días consecutivos ingiriendo solamente agua. Tuvimos un tiempo especial de activación por parte del Señor en la ministración a los pastores.

Después de finalizar el ayuno para pastores, un pastor amigo me pidió que ministrara en su iglesia antes de regresar a los Estados Unidos. Así lo hice y ministré en su iglesia. Mientras compartía una de las enseñanzas durante el día escuché un murmullo entra las personas pero no sabía de qué se trataba. Terminé mis conferencias y fui al hotel a prepararme para la ministración de la palabra en la noche.

Mientras estaba predicando la palabra de Dios, vi que llegó a la iglesia un pastor que yo conocía y de quien no había vuelto a tener noticias por varios años. En la iglesia hubo otro murmullo entre los asistentes. Súbitamente detuve la predicación y el Señor me guio a que tenía que pasar a este hombre al frente y arriba en el púlpito. Le pedí que por favor subiera. En un principio él estaba dudoso de hacerlo pero finalmente subió. Ahí el Señor puso en mi boca una palabra de honra para este hombre y comencé a orar por él, su familia y ministerio. Dios estaba declarando a través de mi boca que este hombre era restaurado en su autoridad ministerial y dentro de su ciudad. Guiados por el Espíritu Santo, varias personas subieron y le abrazaron y le pidieron perdón. Fue un momento muy intenso y significativo.

Luego tuve la oportunidad de ir a comer con este hombre y otros pastores más. El mismo pastor que fue honrado me contó la situación que había pasado por varios años junto con su familia. Este hombre había sido uno de los pioneros del evangelio en su ciudad y había fundado una de las congregaciones de más influencia en la misma. Pero cayó en pecado y los líderes de la iglesia no supieron manejar la situación produciendo heridas muy profundas en él y en su familia. Este hombre se aisló de todos los pastores, no ejerció más el ministerio y junto con su familia se refugió en un trabajo secular. Él fue rechazado también por los pastores de la ciudad por lo que decidió mudarse hacia otro lugar lejano. Él describió los años de soledad que sufrió. Los tiempos de depresión y culpabilidad por los cuales atravesó. Fueron años alejados de todo el ministerio y de no sentirse merecedor de la gracia de Dios.

Cuando yo le llamé al frente no sabía que él había sido el fundador de esa iglesia y que el problema había ocurrido en la misma. Fue el Espíritu Santo que me guio a honrar a este hombre y para que volviera a ser restaurado y activado nuevamente para lo que fue llamado a realizar como ministro.

No estamos acostumbrados a honrar a los que caen para restaurarlos a su posición de dignidad nuevamente. Es más fácil honrar al que lo ha hecho bien pero somos implacables con aquellos que han fallado. En la actualidad este ministro está restaurado y Dios le ha abierto puertas grandes nuevamente en su ciudad y nación. A través de él muchas personas están conociendo a Jesucristo como Salvador, Señor y Rey de sus vidas.

**El poder de la honra permite
que volvamos a ocupar
nuestra posición dentro del Reino de Dios.**

Nelson Mandela, el hombre de honor

En el año 2014 se extinguió la vida de este hombre que lideró la lucha en Sudáfrica por la igualdad entre negros y blancos. Durante los servicios fúnebres estuvieron presentes personalidades de muchas partes del mundo quienes honraron a Nelson Mandela reconociéndolo como el padre de la llamada nación del arcoíris. Pero, ¿cuál era la razón por la cual tantas personas honraron a este hombre?

Nelson Mandela dedicó toda su vida a esta causa. Eso le valió ser encarcelado durante veintisiete años de su vida junto a otros prisioneros políticos. La represión del llamado régimen del Apartheid fue cruel en contra de los ciudadanos negros de esa nación produciendo aún muchas muertes. Sin embargo, una vez que Nelson Mandela sale de prisión a los setenta y un años de edad comienza su lucha por convertirse en el primer presidente negro de Suráfrica y lo logra. La mayoría de la población negra consideraba propicia que ahora era la oportunidad para vengarse de la crueldad que los blancos habían ejercido contra ellos.

Pero Nelson Mandela sorprendió a todos ellos porque se enfocó en guiarles bajo un principio de honra más poderoso que la venganza: la reconciliación. Sí, les pidió a sus seguidores que no tomaran venganza contra los blancos sino que les perdonaran sus atropellos del pasado y que se unieran para construir una nación en la cual todos pudieran vivir en paz y sin ninguna tiranía. Esa fue la razón por la cual este hombre se ganó la honra de personalidades de todo el mundo: Nelson Mandela fue un hombre de honor.

La reconciliación solo sale
del corazón de un hombre o mujer de honra.

Relato #3.
La honra a los generales de Dios

Uno de los ministerios que personalmente me han impactado más lo desarrolla un ministro amigo mío en los Estados Unidos. Este hombre reúne cada dos años a un grupo de ministros que han ejercido el ministerio por cincuenta o más años y les hace un acto público de honra. Reúne a miles de personas en una congregación e invita a ministros de diferentes denominaciones para que asistan a este acto especial. En el mismo se reconoce públicamente la labor realizada por cada uno de los ministros homenajeados y se les entrega una placa conmemorativa. Pero también se les compra un traje nuevo para que asistan a una cena de gala en honor a ellos, y se les entrega una buena ofrenda.

Este pastor amigo me conto la conmovedora historia de uno de los pastores homenajeados quien acudió muy afectado de salud y con una bombona dispensadora de oxigeno que requería para poder respirar adecuadamente. ¡Este pastor tenía casi cien años de edad y sirvió a Dios desde muy joven! Se dirigió al público y haciendo un gran esfuerzo dio algunos consejos a los ministros jóvenes que se encontraban en el lugar. Una presencia especial de Dios se sintió en el auditórium mientras este hombre hablaba. Al terminar su breve discurso se alejó con paso muy lento y ayudado por algunas personas. Este acto de honra se llevó a cabo un día sábado y dos días después este pastor partió a la presencia de Dios. Él tuvo la oportunidad que muchos ministros en el pasado nunca tuvieron: Ser honrados en vida.

Tenemos que aprender a honrar
a los hombres y mujeres de Dios en vida,
pues es un acto que ellos deben disfrutar
como reconocimiento a su contribución ministerial.

Relato #4.
La honra a Jackie Robinson

En el año 1942 Jackie Robinson se convirtió en el primer jugador de béisbol negro en las grandes ligas. Eso causo una gran conmoción entre el público blanco pues eran tiempos donde la discriminación racial impidió por mucho tiempo que eso sucediera. Jackie tuvo que soportar insultos y burlas de todo tipo de parte del público, de los jugadores de los equipos contrarios y hasta de su propio equipo. Tuvo que soportar ser golpeado muchas veces por los lanzadores de los equipos contrarios, y lastimado intencionalmente por algunos jugadores en las bases. También los árbitros hicieron el fallo injusto de algunas jugadas que afectaron a Jackie y a su equipo.

Jackie, muchas veces se tenía que alojar en hoteles de una categoría inferior a los de sus compañeros de equipo porque estos no aceptaban a personas negras. Sin embargo, a pesar de todos los atropellos recibidos, Jackie tuvo en carácter para no responder a estos y mantenerse en la posición de honra que Dios le estaba dando al pasar a la historia como el primer jugador negro del béisbol de grandes ligas.

La salud de Jackie comenzó a afectarse con la diabetes, enfermedad que acelero su retiro del béisbol por afectarse gravemente su vista, al punto de quedar ciego.

Las grandes ligas decidieron honrar a Jackie Robinson de manera especial reconociendo la enorme contribución que éste hizo al béisbol. Fue honrado con el acto único de retirar el número 42, que uso durante toda su carrera, de todo el béisbol. Él es el único jugador en la historia del béisbol de grandes ligas honrado con tal distinción.

La honra es manifestación del carácter que posee una persona.

PREGUNTAS PARA LA DISCUSIÓN
RELATOS CONTEMPORÁNEOS DE LA HONRA

1. ¿Por qué es importante honrar la palabra profética que recibes de un hombre o mujer de Dios y esta se cumple en tu vida?

_____

_____

_____

2. ¿Por qué es mejor honrar a las personas en vida?

_____

_____

_____

3. ¿Por qué la honra tiene el poder de llevarnos a volver a ocupar la posición que hemos perdido?

_____

_____

_____

4. ¿Por qué la reconciliación solo sale del corazón de un hombre o mujer de honra?

_____

_____

_____

_____

5. ¿Por qué la honra es manifestación del carácter que posee una persona?

_____

_____

6. ¿Puedes recordar algunas historias de la vida real en la cual una persona honró a otra?

_____

_____

_____

7. ¿Tienes alguna historia de honra que sea de tu propia experiencia personal? ¿Qué aprendiste de ella?

_____

_____

_____

8. ¿Puedes agregar otros relatos bíblicos de honra?

_____

_____

_____

9. ¿Por qué la competencia no permite que una persona pueda honrar a otra?

_____

_____

_____

Capítulo 2

RELATOS CONTEMPORÁNEOS
DE DESHONRA

Relato #1.
El constructor que no honró al que le había enseñado todo lo que sabía

En uno de mis viajes en el cual fui a predicar dentro de los Estados Unidos el pastor anfitrión me presento a uno de sus líderes. Era un hombre exitoso de negocios en el área de la construcción. Él había sido asignado por el pastor para recogerme y llevarme al hotel en el cual me estaba hospedando. De igual manera este hombre con su esposa me llevarían a comer a restaurantes durante mi visita a su ciudad y finalmente llevarme al aeropuerto para mi regreso a Texas donde resido.

Uno de esos días nos encontrábamos en un restaurant comiendo junto a su esposa. Este hombre me relató cómo había llegada a Estados Unidos como un inmigrante ilegal y con comienzos muy duros y difíciles. Comenzó a buscar trabajo y un hombre le contrato como obrero en el área de la construcción. Este tipo de trabajo nunca lo había hecho anteriormente por lo que le tocó aprender todo desde lo elemental. Así transcurrió unos años pero su jefe comenzó a pedirle que se quedara un poco más de tiempo una vez finalizada sus labores. Él le comenzó a enseñar cómo funcionaba el negocio y cómo obtener contratos. Su jefe lo vio como a un hijo y por ello le comenzó a enseñar lo que sabía. Con el paso del tiempo él aprendió todo lo relacionado al negocio y se independizó de su jefe. Comenzó a obtener contratos y a emplear a personas para sus proyectos. Eso lo llevó cada vez más a prosperar en este campo. Él me pidió que orara por porque quería que Dios le prosperará mucho más. De repente el Espíritu Santo me guio a preguntarle: "¿Cómo continua tu relación con tu anterior jefe, el hombre que te enseño todo lo que sabes?" Me contó que había perdido el contacto con él a pesar de vivir en la misma ciudad. Pero que alguien le había comentado que se encontraba enfermo y por esa razón no podía atender bien a su negocio y estaba confrontando problemas financieros serios.

Mientras yo lo escuchaba llegó a mi mente la palabra: "Deshonra." ¡Este hombre quería prosperar más pero estaba deshonrando a la persona que le había enseñado todo!

Cuando una persona se olvida de honrar a las personas que han contribuido significativamente en su desarrollo es porque tiene como principios de vida la competencia y la deshonra.

La competencia en una persona lo lleva a ver como un contendor a aquellos que le ayudaron a crecer, en vez de visualizarlos como aliados, como personas que creyeron en ella. Por esa razón compite con ellos porque no hay honra en su proceder.

Le miré fijamente y le dije: "¿Quieres prosperar más?"

Me dijo: "¡Por supuesto! Por eso quiero que ore por mis negocios." Yo le respondí: "Entonces, ve y honra con palabras y dinero al hombre que te enseñó todo, ahora que está pasando una situación económica y de salud difícil. Honra al que honra merece." El hombre me miró con cara de asombro pero su esposa estaba asintiendo con la cabeza en forma afirmativa. Ella había captado el principio que este hombre no podía ver. No he tenido contacto nuevamente con este hombre. Espero que haya puesto en práctica el principio de la honra.

Relato #2.
El hermano que le robó el negocio a su otro hermano

Este otro relato también sucedió en el campo de la construcción. Un hombre cristiano emprendió un negocio para construir casas. Comenzó a trabajar diligentemente y fue prosperado grandemente por Dios. En ese tiempo llego su hermano por parte de padre pero no de madre y le pidió que le diera trabajo. Su hermano le ayudó y lo contrató. Le dio un trato preferencial por ser su hermano. Poco a poco este comenzó a aprender a realizar un buen trabajo y recibía buena paga de su hermano. Sin embargo, comenzó a ver el estilo de vida que llevaba su hermano y trazo un plan. Le dijo a su hermano que le quería ayudar sin recibir un pago extra. Su hermano le pareció bien y comenzó a presentarle sus clientes. También le dijo que quería ir a comprar los materiales y negociar mejores precios con los suplidores. Un día le pidió a su hermano que pusiera a su nombre los nuevos equipos que estaba comprando porque así él podía reducir los impuestos. Todo parecía muy bien hasta que un día sus clientes dejaron de hacer negocios con él y se fueron con su hermanastro quien había registrado una nueva empresa y coloco todos los nuevos equipos como activos de la misma.

Hasta el día de hoy el hermano quien le enseño a su hermanastro todo el negocio sigue sin poder recuperarse financieramente. Lamentablemente el cedió todos sus derechos a una persona de deshonra. Fue muy confiado y no mantuvo la autoridad sobre lo que había ganado a través de su trabajo.

No cedas tus derechos a una persona de deshonra. Puedes dar oportunidad a otros, pero mantén intacta la autoridad que Dios te ha concedido.

Relato # 3.
La pastora que fue deshonrada por su concilio.

En los años ochenta hubo una pastora en un país de Suramérica la cual era muy activa y muy respaldada por el Señor en el ministerio de liberación en la ciudad donde pastoreaba su iglesia. También la pastora era muy entusiasta en el evangelismo y discipulado de nuevos creyentes. Así transcurrieron muchos años haciendo con mucha entrega lo que Dios le había encomendado. Ella disfrutaba el ministerio que ejercía. Pero sorpresivamente cuando ella cumplió la edad de 65 años su concilio la removió de su cargo como pastora aunque ella todavía estaba muy fuerte y activa. Lamentablemente se tejieron situaciones internas dentro de su concilio para colocar a un pastor en su lugar. El impacto emocional fue tan profundo en la vida de la pastora que progresivamente su condición de salud se fue afectando notoriamente hasta llevarla a estar postrada en una cama por largo tiempo hasta que murió. Ella no recibió la ayuda de sus colegas pastores ni visita de ningún directivo de su organización. ¡Murió sin honra! De hecho se podría concluir que la deshonra a su ministerio fue lo que la afecto a tal magnitud que la llevo a perder toda esperanza y razón de vivir.

> Tenemos que tener el cuidado de honrar
> las unciones que cada hombre y mujer de Dios
> desempeña porque es producto
> de un llamado eterno.

A veces se manejan conceptos errados en cuanto a la edad en la cual un ministro se debe retirar del ejercicio del ministerio. En la Biblia podemos observar que muchos hombres de Dios se mantuvieron activos eficazmente en el ministerio hasta que el Señor los llamo a su presencia a una edad avanzada. No hay privilegio mayor que ser útil en la expansión del reino de Dios con nuestras capacidades, sabiduría, y experiencia acumulada a través de los años de ministerio.

Relato # 4.
La deshonra de la esposa del pastor fallecido.

En una ciudad de los Estados Unidos un pastor realizo una labor muy notoria con la comunidad a cual le valió el reconocimiento de las autoridades locales. Este hombre y su esposa dedicaron su vida a su congregación durante treinta y cinco años. Ellos no tuvieron hijos por lo cual se enfocaron de manera apasionada al ministerio. El junto con su esposa recorrieron esa ciudad ayudando a miles de personas de la comunidad con diversos programas. Al mismo tiempo trabajaron en beneficio de los miembros de la congregación por lo cual la membresía de esta creció considerablemente. La iglesia tenía hermosas instalaciones y una confortable casa donde él y su esposa vivieron durante todos esos años de ejercicio del ministerio pastoral.

Todo parecía que iba muy bien hasta que el pastor se enfermó gravemente de un mal incurable. Su estado de salud fue empeorando progresivamente hasta que partió a la presencia del Señor. Los miembros de la congregación expresaron su dolor y en el día de su funeral asistieron personalidades de la ciudad que reconocieron su gran labor realizada.

> Tenemos que aprender a honrar
> a aquellos hombres y mujeres quienes
> han dedicado muchos años de su vida en la
> expansión del Reino de Dios en la tierra,
> sobre todo en su vejez.

PREGUNTAS PARA LA DISCUSIÓN
RELATOS CONTEMPORÁNEOS DE DESHONRA

1. ¿Cuál tipo de atmosfera espiritual crees tú que se produce alrededor de la persona que practica la deshonra?

_____

_____

2. ¿Qué efecto crees tú que produce la deshonra en el crecimiento personal y espiritual de la persona que la practica?

_____

_____

3. ¿Puedes recordar algunas historias de la vida real en la cual una persona deshonró a otra?

_____

_____

_____

4. ¿Has tenido alguna historia de deshonra en tu familia? ¿Qué aprendiste de ella?

_____

_____

5. ¿Puedes agregar otros relatos bíblicos de deshonra?

_____

_____

_____

_____

Capítulo 3

EL ORIGEN
DE LA HONRA

La Honra en el Cielo

"Y siempre que aquellos seres vivientes dan gloria y honra y acción de gracias al que está sentado en el trono, al que vive por los siglos de los siglos, y echan sus coronas delante del trono, diciendo: Señor, digno eres de recibir la gloria y la honra y el poder; porque tu creaste todas las cosas, y por tu voluntad existen y fueron creados." Apocalipsis 4. 9-11.

La honra proviene de Dios. En el cielo se honra constantemente al Señor. El ambiente espiritual que le rodea es de honra y gloria. En el cielo existe la honra como el principio básico que mantiene unidos a los seres espirituales celestiales a Dios. Ellos honran continuamente a Dios por ser el creador de todas las cosas. Al hacerlo, Dios nos dio de su esencia a toda la creación.

En el cielo existe la honra como el principio básico que mantiene unidos los seres celestiales a Dios.

Con este vocablo se designa el respeto y la estima que se merece una persona o una cosa. Visto desde el propio sujeto que se merece el honor, viene a ser más bien lo que llamamos honra, equivalente a buena fama o buena reputación, fruto del mérito o del esfuerzo de la persona, la cual tiene derecho a que se le respete. El honor del ser humano suele ir en la Biblia asociado a su rango dentro de la comunidad (Salmos 45:9) y a su autoridad (Ester 10:2). De ahí surge la obligación de no perjudicar la honra del prójimo con la calumnia, así como de no menoscabarla mediante la detracción. En cambio, no es lícito defender la propia honra mediante el duelo con el uso de armas mortíferas, porque, por una parte, no restablece el derecho del ofendido (que puede ser el que, de los dos, caiga muerto o herido en el combate) y, por otra parte, ambos se asignan un derecho que no tienen a disponer de sus vidas.

Los vocablos que la Biblia usa para designar el **honor** (hebreo *kabód* y griego *timé*) tienen un significado más amplio que el que les da el castellano. *Kabód significa gloria* (éste es el sentido más corriente en la Biblia), honra, esplendor, majestad, alguien de «peso real», pues el significado primordial del verbo *kabéd* es precisamente *«ser pesado»* = **persona de peso** por la posición, las riquezas, o el mérito. El griego *timé* ocurre 41 veces en el Nuevo Testamento e, incluso cuando significa *«precio»*, el sentido es de estima. Lo mismo hay que decir del verbo *timáo = honra*r, que ocurre 21 veces, del adjetivo *tímios = honroso, honorable*, que ocurre 13 veces, y del sustantivo *timiótes = valor, precio, dignidad,* que ocurre una sola vez (Apocalipsis 18:19). El ser humano tiene la obligación de honrar a sus padres (Deuteronomio 5:16; Mateo 19:19; Efesios 6:1–3), a las viudas (1 Timoteo 5:3), al rey (1 Pedro 2:17), a los líderes religiosos (1 Timoteo 5:17), a las personas ancianas (Levítico 19:32), a los amos (1 Timoteo 6:1; al esclavo bueno (Proverbios

27:18), a las esposas (1 Tesalonicenses 4:4; 1 Pedro 3:7), los creyentes unos a otros (Romanos 12:10), a todos los hombres (1 Pedro 2:17), a los que son como Epafrodito (Filemón 2:29) y, todo lo contrario a lo que sucede en el mundo, a los de rango inferior (1 Corintios 12:23–24).

Dios es el Ser Perfectísimo y fuente de toda perfección, de todo valor y de todo honor. A Él le corresponde, en primer lugar, la honra y la gloria de parte de todas sus criaturas por lo que es y por lo que hace (Levítico 10:3; 1 Crónicas 29:12; Daniel 4:37; 1 Timoteo 1:17; 6:16; Apocalipsis 4:9, 11; 5:12; 7:12).

La Honra del Mesías

Cuando Jesús nació en Belén de Judea en días del rey Herodes, vinieron del oriente a Jerusalén unos magos, diciendo: ¿Dónde está el rey de los judíos, que ha nacido? Porque su estrella hemos visto en el oriente, y venimos a adorarle. Oyendo esto, el rey Herodes se turbó, y toda Jerusalén con él. Y convocados todos los principales sacerdotes, y los escribas del pueblo, les preguntó dónde había de nacer el Cristo. Ellos le dijeron: En Belén de Judea; porque así está escrito por el profeta: Y tú, Belén, de la tierra de Judá, no eres la más pequeña entre los príncipes de Judá; Porque de ti saldrá un guiador, que apacentará a mi pueblo Israel. Entonces Herodes, llamando en secreto a los magos, indagó de ellos diligentemente el tiempo de la aparición de la estrella; y enviándolos a Belén, dijo: Id allá y averiguad con diligencia acerca del niño; y cuando le halléis, hacédmelo saber, para que yo también vaya y le adore. Ellos, habiendo oído al rey, se fueron; y he aquí la estrella que habían visto en el oriente iba delante de ellos, hasta que llegando, se detuvo sobre donde estaba el niño. Y al ver la estrella, se regocijaron con muy grande gozo. Y al entrar en la casa, vieron al niño con su madre María, y postrándose, lo adoraron; y abriendo sus tesoros, le ofrecieron presentes: oro, incienso y mirra. Pero siendo avisados por revelación en sueños que no volviesen a Herodes, regresaron a su tierra por otro camino. Mateo 2.1-12.

Aquí podemos observar que el nacimiento del Mesías, del Señor Jesucristo, está rodeado de un ambiente de honra representada por varias señales y simbolismos como:
• Los cielos y el firmamento honraron al Señor "su estrella hemos visto en el oriente."
• La sabiduría humana honró al Señor "vinieron del oriente a Jerusalén unos magos" La palabra magos no es la traducción más apropiada pues en su contexto griego es más cercano su significado a "sabios", "científicos" o "astrónomos" pues eran conocedores profundos de la palabra y del movimiento de las estrellas.
• Herodes por otra parte, era la antítesis de la honra. Su interés era egoísta. Solamente quería saber del nacimiento del posible liberador de la nación para matarlo. Y si conocemos la historia bíblica, sabemos que, al no saber quién era este niño, mandó a matar a todos los infantes, deshonrando al Mesías y a Dios mismo. Trataremos el tema de la deshonra en el capítulo siguiente.

Y vendrá el Redentor a Sión, y a los que se volvieren de la iniquidad en Jacob, dice Jehová. Y éste será mi pacto con ellos, dice Jehová: Mi Espíritu que está sobre ti, y mis palabras que he puesto en tu boca, no faltarán de tu boca, ni de la boca de tus hijos, dice Jehová, ni de la boca de los hijos de tus hijos, desde ahora y para siempre." Isaías 59:20 y 21.

Esta porción de la Palabra de Dios habla del Redentor que viene a Sión. Esta profecía anuncia la venida de Jesucristo.

Sión era un nombre para varias ubicaciones en Israel, pero eventualmente, Sión llegó a ser sinónimo de todo Israel.

Porque un niño nos es nacido, hijo nos es dado; y el principado será sobre su hombro; y se llamará su nombre Admirable, Consejero, Dios Fuerte, Padre Eterno, Príncipe de Paz. Lo dilatado de su imperio y de su paz no tendrá límite, sobre el trono de David y sobre su reino, disponiéndolo y confirmándolo en juicio y en justicia desde ahora y para siempre. El celo de Jehová de los ejércitos hará esto. Isaías 9:6 y 7.

La profecía indica que un niño nacería y sería del linaje de David y que sería rey sobre los que sirven al Dios de Abraham. Vendría de Belén y pondría su trono en Jerusalén. Sin embargo, Su reino no sería hecho con manos. Su reino sería espiritual, uno que duraría para siempre y sería en el corazón humano. Es por medio de este reino espiritual que Dios honraría a todo el pueblo de Israel, a Sión, y que el resto de las naciones del mundo reconocería el nombre (lo cual es un principio de honra) del Mesías, al llamarle con títulos de nobleza y deidad: Admirable, Consejero, Dios Fuerte, Padre Eterno, Príncipe de Paz.

La Honra comenzó con Abraham

"Y Abraham tomó otra esposa, cuyo nombre era Cetura; la cual le dio a luz a Zimram, a Jocsán, a Medán, a Madián, a Isbac y a Súa. Y Jocsán engendró a Seba y a Dedán; y los hijos de Dedán fueron Asurim, Letusim y Leumim. Y los hijos de Madián: Efa, Efer, Hanoc, Abida y Eldaa. Todos éstos fueron hijos de Cetura. Y Abraham dio todo cuanto tenía a Isaac. Y a los hijos de sus concubinas dio Abraham dones, y los envió lejos de Isaac su hijo, cuando aún él vivía, hacia el oriente, a la tierra oriental." Génesis 25: 1-6.

Después que Sara murió Abraham tomó una de sus concubinas, Cetura, para esposa y ella dio a luz a Jocsán y Madián. Seba era hijo de Jocsan y Efa era hijo de Madián. Abraham antes de morir le dio todo a Isaac. También le dio dones a sus otros hijos, de Cetura, y los mandó lejos de Isaac, y los mandó hacia el oriente, la tierra oriental. A la luz de esto, leamos el pasaje de Isaías 60.1-6.

"Levántate, resplandece; que ha venido tu luz, y la gloria de Jehová ha nacido sobre ti. Porque he aquí que tinieblas cubrirán la tierra, y oscuridad los pueblos; mas sobre ti amanecerá Jehová, y sobre ti será vista su gloria. Y andarán las gentiles a tu luz, y los reyes al resplandor de tu nacimiento. Alza tus ojos en derredor, y mira; todos éstos se han juntado, vinieron a ti; tus hijos vendrán de lejos, y tus hijas junto a ti serán criadas. Entonces verás y resplandecerás; y se maravillará y ensanchará tu corazón, porque se convertirá a ti la multitud del mar, y las fuerzas de los gentiles vendrán a ti. Multitud de camellos te cubrirá, dromedarios de Madián y de Efa; vendrán todos los de Seba; traerán oro e incienso, y publicarán alabanzas de Jehová."

Aquí se anuncia proféticamente que cuando el Redentor viniera, los descendientes de Abraham le vendrían a honrar.

Aquí se anuncia proféticamente que cuando el Redentor viniera, los descendientes de Abraham le vendrían a honrar. Le iban a traer obsequios de oro e incienso, y le adorarían.

La promesa de Dios a Abraham debe haber pasado a todos sus descendientes por generaciones. Como estos viajeros eran descendientes de Abraham, ellos tenían gran interés en la venida del Redentor. Como fue profetizado, muchos años después que sus antepasados fueron enviados lejos, ellos volvieron con obsequios de oro e incienso; y alabanzas para ofrecer al Redentor.

Algunos de estos descendientes de Abraham se quedaron en la Arabia sureña. Para los israelitas Persia y Arabia eran consideradas las tierras orientales. Seba era el nombre de un país en el sur de Arabia que hoy día se llama Yemen. Noten que sus antepasados fueron enviados lejos después que la herencia fue dada a Isaac y ellos sólo recibieron dones. Entonces como lo profetizado, sus descendientes regresaron trayendo consigo dones para el Rey de reyes, el Rey que compartiría su herencia con ellos y ofrecería el don de la salvación a los Gentiles.

La llegada del Mesías

"Y cuando Jesús nació en Belén de Judea en días del rey Herodes, he aquí unos hombres sabios del oriente vinieron a Jerusalén, diciendo: ¿Dónde está el Rey de los judíos, que ha nacido? Porque su estrella hemos visto en el oriente, y venimos a adorarle." Mateo 2:1-2.

"Y entrando en la casa, vieron al niño con María su madre, y postrándose lo adoraron; y abriendo sus tesoros, le ofrecieron dones, oro, incienso y mirra." Mateo 2:11.

No sabemos a ciencia cierta cómo estos hombres supieron identificar la estrella que los condujo a Belén. Pero sí sabemos, que ellos sabían que la luz del mundo había venido.

"Y andarán las gentiles a tu luz, y los reyes al resplandor de tu nacimiento." Isaías 60:3.

"Multitud de camellos te cubrirá, dromedarios de Madián y de Efa; vendrán todos los de Seba; traerán oro e incienso, y publicarán alabanzas de Jehová." Isaías 60. 6.

Isaías profetizó que cuando el Redentor viniera, dromedarios (camellos jóvenes) de Madián y Efa vendrían de Seba con obsequios: oro e incienso y lo alabarían. Además de la profecía de Isaías, la mirra y el incienso también dan apoyo a pensar de dónde venían estos viajeros. Isaías profetizó que vendrían con incienso como obsequio al Redentor. ¿Para qué viene a mí este incienso de Seba, y la caña olorosa de tierra lejana? Vuestros holocaustos no son aceptables, ni vuestros sacrificios me agradan. Jeremías 6:20.

Esta porción confirma que el incienso bíblico se importaba de Seba. La mirra también era un producto de Arabia y específicamente de Seba. La mirra es una resina de goma que viene de un árbol espinoso pequeño que crece en el país que ahora se llama Yemen y las regiones de cercanas de África. En tiempos antiguos la mirra tenía varios usos, inclusive el hacer de perfume, ungüento e incienso.

La Biblia nos dice que cuando el Redentor viniera, los

descendientes de Abraham vendrían de Seba a verlo.

"Los reyes de Tarsis y de las islas traerán presentes; los reyes de Seba y de Sabá ofrecerán dones" Salmo 72.10.

"Y vivirá, y se le dará del oro de Seba; y se orará por él continuamente; todo el día se le bendecirá." Salmo 72. 15. Este salmo también hablan de estos regalos confirmando el origen de los mismos.

Cuando los sabios de oriente vinieron a ver al niño, trajeron obsequios de oro, incienso y mirra; cumpliendo la profecía de Isaías.

Lo maravilloso de la secuencia de estas escrituras es saber que contamos con un Dios que está pendiente de nuestra provisión aun con siglos de anticipación.

Él puede hacer arreglos para proveer para nuestras siguientes generaciones si aprendemos el poder que tiene la honra al Dios vivo.

PREGUNTAS PARA LA DISCUSIÓN
EL ORIGEN DE LA HONRA

1. ¿Por qué crees tú que la honra es de origen Celestial?

_____

2. ¿Por qué la honra es un principio fundamental en el Reino de Dios?

_____

_____

3. ¿De qué manera crees tú que los descendientes de Abraham, que fueron enviados por él a tierras lejanas, se mantuvieron pendientes del cumplimiento de la profecía de la venida del redentor de la humanidad?

_____

_____

_____

4. ¿Cómo crees tú que ellos reconocieron la estrella que les llevo hasta Belén?

_____

5. ¿Esta movilización de los descendientes de Abraham a ver al Mesías, tiene algo que ver con la honra?

_____

_____

6. ¿Cómo puedes explicar tú que Dios está pendiente de tu provisión aún con siglos de anticipación?

_____

_____

Capítulo 4

EL ORIGEN
DE LA DESHONRA

La Honra en el Cielo

"¡Cómo caíste del cielo, oh Lucero, hijo de la mañana! Cortado fuiste por tierra, tu que debilitabas a las naciones." Isaías 14.12.

En la porción bíblica contenida en el libro de Ezequiel capítulo 28 y en los versos 12 al 15 se relata una situación que parece estar dirigida al malvado rey de Tiro pero que en realidad va más allá, porque nos muestra el momento en el cual la deshonra se originó en el cielo a través de Lucero/Satanás quien deshonro a Dios, a sí mismo, y a los que confiaron en él en el cielo.

"Hijo de hombre, levanta endechas sobre el rey de Tiro, y dile: Así ha dicho Jehová el Señor: Tú eras el sello de la perfección, lleno de sabiduría, y acabado de hermosura." Ezequiel 28.12.

Dios no creó a un adversario sino a un ser para que ocupara una posición muy alta en el cielo. Lo creó con un nivel muy elevado de honra.

En hebreo, el nombre Lucero es traducido de la palabra hebrea "helel," la cual significa brillo. Esta designación, en referencia a Lucero, es la traducción de "estrella de la mañana" o "lucero de la mañana" o "estrella brillante" que se presenta aquí en Isaías. Probablemente, sea mejor entender "Lucero, hijo de la mañana" como una manera de enfatizar la gloria de su ser, al igual que su posición de privilegio. Está siendo comparado con la belleza del alba matutina, la primera luz de la mañana que anuncia el comienzo de un nuevo día. Esa posición gloriosa y destacada es empleada metafóricamente para referirse a este glorioso ser. El nombre "Lucifer" viene a expresar la idea de un ser celestial; y a eso hace referencia la idea básica del texto bíblico.

"En Edén, en el huerto de Dios estuviste; de toda piedra preciosa era tu vestidura; de cornerina, topacio, jaspe, crisolito, berilo y ónice; de zafiro, carbunclo, esmeralda y oro; los primores de tus tamboriles y flautas estuvieron preparados para ti en el día de tu creación." Ezequiel 28.13.

Lucifer estuvo en el huerto del Edén, ahí se le coloco todo tipo de piedras preciosas en su vestidura. Hubo música el día de su creación. Quizás sea por eso que la palabra dice que el día en el cual se convierte un pecador hay fiesta en los cielos. Porque vuelve a recuperar su dignidad y su honor.

"Tú, querubín grande, protector, yo te puse en el santo monte de Dios, allí estuviste; en medio de las piedras de fuego te paseabas." Ezequiel 28.14.

Como querubín se le asignó una posición de autoridad y la función de proteger el mismo trono de Dios. Su posición era proteger la santidad de Dios. Satanás tenía la posición más elevada, una posición que deshonró por lo cual la perdió. Esto nos da una enseñanza profunda: todo aquello que deshonremos lo podemos perder. En el reino de Dios todos sus hijos tienen una posición que ocupar y una asignación que cumplir con honor.

Satanás tenía la posición más elevada, una posición que deshonró por lo cual la perdió. Esto nos da una enseñanza profunda: todo aquello que deshonremos lo podemos perder.

"Perfecto eras en todos tus caminos desde el día que fuiste creado, hasta que se halló en ti maldad. A causa de la multitud de tus contrataciones fuiste lleno de iniquidad, y pecaste; por lo que yo te eché del monte de Dios, y te arrojé de entre las piedras del fuego, oh querubín protector." Ezequiel 28.15 y 16.

Lucifer decidió por su propia voluntad, deshonrar al Señor y a la posición que se le concedió por lo cual fue echado del monte de Dios a las piedras del fuego del Seol.

¿Qué instigó el pecado de Lucero/Lucifer? "Se enalteció tu corazón a causa de tu hermosura, corrompiste tu sabiduría, corrompiste tu sabiduría a causa de tu esplendor; yo te arrojé de entre las piedras del fuego, oh querubín protector. Con la multitud de tus maldades y con la iniquidad de tus contrataciones profanaste tu santuario; yo, pues, saqué fuego de en medio de ti, el cual te consumió, y te puse en ceniza sobre la tierra a los ojos de todos los que miran. Todos los que te conocieron de entre los pueblos se maravillaran sobre ti; espanto serás, y para siempre dejarás de ser." Ezequiel 28.17-19.

Lucero/Lucifer declara su independencia. Su Voluntad Contra la Voluntad de Dios. El Destino del Rebelde es ser echado de su posición de dignidad y honra. Cualquier criatura debe estar sujeta al creador.

La esencia misma del ser humano se afecta con la deshonra.

Algo muy importante de resaltar en el acto de la deshonra es lo que dice la parte final del *versículo 19 "... para siempre dejarás de ser."* La esencia misma del ser humano se afecta con la deshonra. El ser se ve afectado cuando una persona actúa con deshonra ante Dios, ante sí mismo y ante los demás.

La deshonra fragmenta en muchos pedazos el alma de una persona hasta que deja de ser.

La deshonra fragmenta en muchos pedazos el alma de una persona hasta que deja de ser. El ser viene desde lo más profundo del interior de una persona. En realidad, dejar de ser es volcarse hacia el exterior, de esta forma lo que hace realmente es huir de quien es. Huye de sí mismo, tras la búsqueda de un algo que resulta efímero en la mayoría de las ocasiones. El maligno dejo de ser por buscar ser reconocido como dios. Buscó algo externo como el reconocimiento y huyó de quien era realmente. Abandonó todos los privilegios que se le habían conferido para buscar a su manera algo que ya tenía. Dejar de ser es renunciar a la libertad de quienes somos bajo la creación de Dios para asumir la opresión de quienes no somos bajo nuestras propias expectativas. Eso fue lo que el maligno hizo.

> Dejar de ser es cuando una persona se vuelca hacia el exterior, de esta forma lo que hace realmente es huir de quien es.

Es por ello que el maligno ha atacado a la especie humana empujándolo a vivir sin el principio de la honra como la guía para mantener la esencia de quien es como persona creada a la imagen y semejanza de Dios. Muchas personas están en la cárcel no por lo que hicieron sino por dejar de ser lo que Dios creó en ellos desde la eternidad.

Todo ser humano cuando nace lo hace con un manto de honra sobre él, pero tendrá que decidir si mantiene quien es, aplicando el principio de la honra, o si decide dejar de ser por la aplicación del principio contrario, el de la deshonra.

> La esencia misma del ser humano se afecta con la deshonra.

Para Dios, el principio de la honra es muy importante porque afecta la misma esencia del ser humano. Una vida sin honra implica dejar de ser. Tenemos que poner atención a este principio tan importante pero tan poco practicado en la iglesia. Dios es un Dios de honra. Todo lo que Él creó lo hizo con honor.

41

PREGUNTAS PARA LA DISCUSIÓN
EL ORIGEN DE LA DESHONRA

1. ¿Por qué la deshonra también comenzó en el cielo?

_____

_____

_____

_____

2. ¿Para ti cual es la relación existente entre orgullo y deshonra?

_____

_____

_____

_____

3. ¿Por qué huir de quien eres comienza el proceso de dejar de ser?

_____

_____

_____

_____

4. ¿Has dejado una posición de autoridad en tu vida por buscar algo que pensabas que podía llenar un vacío dentro de ti? Explica cómo te has sentido luego de hacerlo.

_____

_____

_____

5. ¿Por qué la esencia del ser humano se afecta con la deshonra?

_____

_____

_____

6. ¿Por qué dejar de ser es renunciar a la libertad de quienes somos bajo la creación de Dios para asumir la opresión de quienes no somos bajo nuestras propias expectativas?

_____

_____

_____

7. Explica ¿Por qué todos los seres creados por Dios tienen una medida de honra?

_____

_____

_____

_____

Capítulo 5

LA HONRA
EN LA CREACIÓN

"Entonces dijo: Dios: Hagamos al hombre a nuestra imagen, conforme a nuestra semejanza; y señoree en los peces del mar, en las aves de los cielos, en las bestias, en toda la tierra, y en todo animal que se arrastra sobre la tierra." Génesis 1.26.

Cuando Dios creó al caballo, al ganado, a las aves, a los reptiles o a los peces, no les otorgó el privilegio de hacerlos a su imagen y semejanza. Este privilegio sólo fue dado al ser humano y bajo el diseño original de dos sexos: Varón y Hembra. Cuando el ser humano no honra lo que Dios originalmente creó, entonces deja de ser. Renuncia a la posición, y función, que el Señor le ha concedido en esta tierra.

La primera honra que Dios le hace al ser humano. La primera honra es precisamente habernos creado a su imagen y semejanza. Cuando algunos pueblos cultos, pero panteístas, politeístas u ocultistas, recibieron el cristianismo, precisamente entonces se tomó clara conciencia de esta primera condición de la honra: haber sido creado a la imagen y semejanza de Dios. Y así, sólo con la convicción de la creación divina, se adquirió auténtica conciencia de la dignidad humana.

> Cuando Dios creo al ser humano a su imagen
> y semejanza lo honró, lo elevó a un nivel increíble.
> Eso le dio al ser humano
> el nivel de honra más alto dentro de la creación
> y por eso Dios le otorgo el poder
> para que se enseñoreara sobre ella.

Dios no le otorgó la autoridad a un animal para que se enseñoreara de la creación porque no tenía el rango más elevado dentro de ella. Teorías como la evolucionista que proclama que el hombre descendió del mono, no es más que una forma de degradación de la honra con la cual Dios creo al ser humano, llevándolo a un nivel bajo ocupado por los primates.

Cuando los seres humanos honran y adoran ídolos en forma de animales, están despreciando la honra con la cual Dios los creo. Pero de igual manera, cuando un ser humano es adorado como si fuera Dios, entonces pierde su honra original pues trata de usurpar la honra que solo a Dios le corresponde, tal como lo explicamos en el capítulo anterior.

Todo lo que Dios creo lo hizo con honor. Dios es honorable. No hay fuente más alta de honra que Dios mismo. De él proviene la honra y la gloria. Nosotros como seres humanos disfrutamos de la honra que él puso sobre nosotros.

El nivel de honra que Adán y Eva disfrutaron en el huerto del Edén fue extraordinario. Disfrutaron de la compañía de Dios, de la comunicación directa con él, de la plenitud de la creación de Dios. Pero cuando ellos pecaron deshonraron a Dios al desobedecerlo. La consecuencia fue la muerte eterna. Pero también el caer hasta un nivel muy bajo de honra.

La segunda manifestación de la honra que Dios le hace al hombre. La segunda honra consistió en la encarnación de Cristo y su muerte en la cruz del calvario. Esta fue una inserción específica, concreta, temporal y espacial, de lo divino en lo humano. Y el Señor Jesucristo, centro de la historia, no quiere que la suya sea una presencia que honre sólo a sus contemporáneos en el tiempo y en el espacio, sino que busca extender este nuevo honor hecho por Dios al ser humano a todos los miembros de las diferentes etnias y razas y en todo tiempo y lugar.

La segunda manifestación de la honra que Dios le hace al hombre la cual consistió en la encarnación de Cristo y su muerte en la cruz del calvario.

El Señor Jesucristo tuvo que venir a salvar a la humanidad de la muerte eterna y a rescatarla de la vida sin honra a la cual habían sido sometidos por la esclavitud del pecado.

El poder de la obra en la cruz del Calvario radicó en que el Señor dio vida eterna a todo aquel que le confesara como Salvador, Señor y Rey de su vida pero de igual manera le transfirió nuevamente el estatus de honra con el cual originalmente había sido creado. Nos llevó a ser coherederos con él. Colaboradores con él. Nos llevó a formar parte de su familia real. El haber sido elevados a ese nivel con él nos dio una gran libertad.

Para difundir este sentido de honra recuperados por el Señor se han utilizado muchos medios tales como el derecho, las artes, el lenguaje, la política, las letras, las relaciones sociales, el intercambio comercial, entre otros. Todos esos elementos se recibieron germinalmente desde los mundos previos a los contemporáneos, Israel, Grecia, Roma, Germania, pero fue el evangelio del Reino el que dignificó y dignificará sus contenidos desechando lo indigno.

La situación de la sociedad actual es muy distinta porque desde hace siglos se viene buscando una nueva condición humana, tan precaria en sus fundamentos al renegar de Dios, que se ha llegado a la triste situación de ver la vida destrozada, abortada, manipulada; la propiedad codiciada, la belleza desfigurada y pervertida; la libertad, desgajada y errante; el placer sofisticado y absolutizado; la igualdad, trozada y recalculada; la ciudad, masificada y criminalizada; el lenguaje, tan codificado como destrozado; la política, hipertrofiada e hipertecnificada; la fe, ridiculizada y escarnecida; y en todo eso, el ser humano, deshonrado, dañado en su dignidad. Es imperativo reinstalar la honra como tema central del reino de Dios. He ahí el desafío radical para los creyentes de este tiempo.

PREGUNTAS PARA LA DISCUSIÓN
LA HONRA EN LA CREACIÓN

1. Explica con tus propias palabras por qué el ser humano tiene el nivel más alto de honra en la creación.

_____

2. ¿Por qué cuando los seres humanos honran y adoran ídolos en forma de animales, están despreciando la honra con la cual Dios los creó?

_____

3. Explique, ¿El nivel de honra que tienen los animales es diferente al nivel de honra que tiene los seres humanos?

_____

4. Explique ¿El nivel de honra experimentado por Adán y Eva en el huerto del Edén, ¿es igual al experimentado por aquellas personas que aceptan a Jesucristo como salvador, Señor y Rey de sus vidas?

_____

5. ¿Por qué encarnarse en forma de ser humano y luego morir en la cruz del Calvario representan un nivel muy alto de honra de Dios hacia el ser humano?

_____

_____

Capítulo 6

LOS PADRES
FUENTE DE HONRA

"Honra a tu padre y a tu madre, para que tus días se alarguen en la tierra que Jehová tu Dios te da." Éxodo 20.12.

Los padres terrenales

Como vimos anteriormente, la palabra hebrea traducida como honra en este versículo bíblico es "kabód" que significa darle peso a algo, hacerlo glorioso, promoverlo, enriquecer.

La vida física que tenemos proviene de lo más profundo de las entrañas de nuestros progenitores. Ellos nos transfirieron sus características físicas a través de los genes.

Pero a nivel espiritual también nos transmitieron de su esencia. Por eso, ellos son una fuente primaria de honra para ti. Hónralos, mira la riqueza divina que Dios ha depositado en ellos por quienes son.

Uno de los significados de la palabra "kabód" en hebreo es enriquecer. La honra está en el contexto de la abundancia porque cuando Dios estaba dando los diez mandamientos lo estaba dando con referencia a la tierra prometida, la de la abundancia, de la vida abundante. Para tener abundancia tenemos que proteger con la honra ciertas relaciones vitales como la relación con los padres.

Para tener abundancia tenemos que proteger con la honra ciertas relaciones vitales como la relación con los padres.

Una de las formas más poderosas de traer la herencia de la abundancia en la vida de una persona es a través de la honra. Tú recibes una herencia increíble de tus generaciones pasadas al conectarte con ellos por medio de la honra. Con lo que tú te conectas es lo que tú vas a heredar. La honra es la forma de conectarnos con la gloria que Dios ha depositado en nuestras generaciones pasadas.

Una de las formas más poderosas de traer la herencia de la abundancia en la vida de una persona es a través de la honra.

Ve la gloria que Dios ha depositado en la vida de tus padres, conéctate y profundiza en eso, sácalo a la superficie para ti a través de una relación de honra porque tú provienes de ellos.

Como todos somos hechos a la imagen y semejanza de Dios, todos tenemos aunque sea un reflejo de su gloria depositada en nosotros. La gloria de Dios se transmite a través de la línea genealógica de las familias. Tú te puedes conectar con eso y traerla a tu generación presente. La honra fluye continuamente del trono de Dios por la eternidad porque de ahí proviene. La honra es la forma de conectarnos con la gloria que Dios ha depositado en nuestras generaciones pasadas. La honra es el principio divino que hace que la abundancia se manifieste en una persona, familia o nación.

Esa gloria de una familia fluye de generación en generación hasta que se manifiesta como nuestra herencia presente pero esta es establecida por medio de la honra. Hablaré un poco más de esto más adelante al narrar mi propio camino de descubrir la honra familiar.

Los padres espirituales

"Os rogamos, hermanos, que reconozcáis a los que trabajan entre vosotros, y os presiden en el Señor, y os amonestan; y que los tengáis en mucha estima y amor por causa de su obra. Tened paz entre vosotros." 1 Tesalonicenses 5.12-13.

Los hijos espirituales reciben honra de la casa de donde provienen. De la familia espiritual a la que pertenecen. Por eso el Señor creo a la iglesia como un lugar de libertad, de respeto, de empoderamiento y de disciplina sana (no de castigo) donde se establecen relaciones fuertes entre sus miembros bajo la cultura del honor comenzando por la estructura de liderazgo de la iglesia y reforzado por el ejercicio del ministerio quíntuple: apóstoles, profetas, evangelistas, pastores y maestros. Que dicho sea de paso, cada uno de estos oficios ha sido constituido por Dios para que seamos perfeccionados hasta llegar a "un varón perfecto, a medida de la estatura de la plenitud de Cristo" (Efesios 4:11-13). Es decir, para llegar a un nivel de honra mayor, así como el Señor.

Obtén una herencia rica de tus padres espirituales. Conéctate a través de la honra con la gloria que Dios ha depositado en ellos para que seas enriquecido en tu vida como creyente. Pertenecer a una visión es formar parte de la honra de la misma.

Aclaratoria. Muchos creen que honra es que tú haces un buen trabajo al servirme a mí. Las personas que dicen "transfiéreme materialmente lo mejor que tengas para que seas prosperado" lo que están haciendo es succionar lo mejor de esa persona y lo empobrecen. Lo bajan a un nivel más bajo. Le sacan provecho. Esas personas son oportunistas, saqueadoras en el reino de Dios.

Es muy diferente cuando un creyente honra voluntariamente a sus padres espirituales porque reconoce que su vida ha sido bendecida por medio de la herencia espiritual que ha recibido de ellos lo cual se ha manifestado materialmente también.

Honra es mantenerse unido voluntariamente a aquellas personas que pueden influir en tu crecimiento en todas las áreas de tu vida. Tu reconoces la extraordinaria contribución que aportan a tu vida esas relaciones por lo cual las proteges por medio de la honra.

Honra es mantenerse unido voluntariamente a aquellas personas que pueden influir en tu crecimiento en todas las áreas de tu vida.

PREGUNTAS PARA LA DISCUSIÓN
LOS PADRES FUENTE DE HONRA

1. ¿Por qué para tener abundancia tenemos que proteger con la honra ciertas relaciones vitales como la relación con los padres?

_____

_____

2. ¿Por qué tú recibes una herencia increíble de tus generaciones pasadas al conectarte con ellos por medio de la honra?

_____

_____

3. ¿Por qué la gloria y honra de Dios se transmite a través de la línea genealógica de las familias?

_____

_____

4. Explica el siguiente enunciado: Con lo que tú te conectas, es lo que tú vas a heredar.

_____

_____

5. Explica con tus propias palabras que entiendes del siguiente enunciado: Los hijos espirituales reciben honra de la casa de donde provienen.

_____

_____

6. Explica este enunciado: Honra es mantenerse unido voluntariamente a aquellas personas que pueden influir en tu crecimiento en todas las áreas de tu vida.

_____

_____

_____

Capítulo 7

LA HONRA
EN EL MATRIMONIO

La honra del hombre a la mujer

"Y Jehová Dios hizo caer sueño profundo sobre Adam, y mientras este dormía, tomó una de sus costillas, y cerró la carne en su lugar; Y de la costilla que Jehová Dios tomó del hombre, hizo una mujer, y la trajo al hombre. Dijo entonces Adán: Esto es ahora hueso de mis huesos, y carne de mi carne; ésta será llamada varona, porque del varón fue tomada" Génesis 2. 21-23.

La fuente de honra para la mujer en el matrimonio es su esposo. Dios creó primero al hombre, no porque fuera más importante que la mujer, sino que él tenía el propósito de convertirse en el fundamento de la familia humana. Él no tuvo que tomar nuevamente tierra para formarla a ella sino que la formó de una costilla del hombre. Sólo el hombre fue quien vino directamente de la tierra. La mujer salió del hombre, en lugar de salir de la tierra, debido a que ella fue diseñada para descansar en el hombre, para tener al hombre como su apoyo. De esta manera el hombre se convierte en el fundamento donde se apoya la mujer, la familia al venir los hijos, y la sociedad.

El orden en el cual fue creado el varón nos da los indicios de que su propósito no sólo era el de ser fundamento sino también el de ser fuente de honra para la mujer. Bíblicamente, el hombre no procede del hombre ni la mujer de la mujer. La mujer procede del hombre, por lo tanto dentro del matrimonio para ella él es su fuente directa de honra. En el matrimonio el hombre hace un pacto delante de Dios de ser fuente de honra para su esposa.

Una de las funciones más importantes del hombre dentro del matrimonio es proveer para su esposa no sólo los recursos materiales para cubrir sus necesidades, sino también de proveerle un nivel mayor de honra a medida que transcurre el tiempo. Esto lo logra el esposo al proveerle las oportunidades para que ella crezca como persona y avance en su desarrollo integral.

Proverbios 12:4ª: "La mujer virtuosa corona es de su marido." Esto muestra que la mujer fue creada para fortalecer al hombre. Ahora bien, si un hombre ayuda a su esposa a desarrollar todo su potencial como mujer, entonces ella puede llegar a ser el adorno más preciado en su vida terrenal. Como dice la Biblia, puede llegar a ser "Corona del Hombre." Pero esto amerita una acción voluntaria por parte del hombre al entender y aceptar la responsabilidad, que él es la fuente de honra para su esposa dentro del matrimonio. Dios le dio esa asignación divina.

Cuando un hombre trata mal a su esposa
la está deshonrando, pero más aún
se está deshonrando a sí mismo.

Una de las funciones del esposo es la de aumentar el nivel de honra de su esposa. Mientras más alto es el nivel de honra de su esposa más sólida es la relación matrimonial porque esta es protegida como una relación vital por medio de la honra.

Muchos hombres que no han entendido el principio de la honra dentro del matrimonio, y aun dentro de la sociedad, han tratado de disminuir el potencial de la mujer, y nunca han entendido que la mujer no fue creada para que fuese golpeada, humillada, ni minimizada, ni tampoco para debilitar al hombre. Estos hombres operan bajo el principio de la deshonra y por eso actúan de esa manera.

La mujer es un vaso frágil, que debe ser tratado con sumo cuidado. Si algo debemos admirar y honrar en la mujer nosotros los hombres es su ímpetu, su pasión por cada actividad que hace, el privilegio de traer nuestros hijos al mundo, y la capacidad de entregarlo todo cuando realmente aman. No olvidemos que gracias a que una mujer estuvo dispuesta a servir como instrumento de Dios, la humanidad pudo conocer la Salvación a través de Jesucristo.

Hombres, honremos a la mujer dignamente. ¡Ya basta de abusar de nuestra fuerza física pasa someter a la mujer y dañarle física o moralmente! Entendamos que si tratamos con amor y honor a la mujer, recibiremos en retribución miles de bendiciones de Dios a través de ella misma. Si estamos casados, la mejor parte es que conseguiremos a esa ayuda idónea con el cual seremos fortalecidos.

La Biblia nos anima a honrar a la mujer. Veamos algunos pasajes bíblicos que lo muestran:

1 Pedro 3:7: "Vosotros, maridos, igualmente, vivid con ellas sabiamente, dando honor a la mujer como a vaso más frágil, y como a coherederas de la gracia de la vida, para que vuestras oraciones no tengan estorbo."

Efesios 5:25: "Maridos, amad a vuestras mujeres, así como Cristo amó a la iglesia, y se entregó a sí mismo por ella, para santificarla, habiéndola purificado en el lavamiento del agua por la palabra."

Efesios 5:28: "Así también los maridos deben amar a sus mujeres como a sus mismos cuerpos. El que ama a su mujer, a sí mismo se ama."

Colosenses 3:19: "Maridos, amad a vuestras mujeres, y no seáis ásperos con ellas."

1 Corintios 7:3: "El marido cumpla con la mujer el deber conyugal, y asimismo la mujer con el marido."

1 Corintios 7:11: "...y que el marido no abandone a su mujer."

Las madres solteras o las mujeres divorciadas no sólo carecen de una fuente de apoyo en el hombre sino que también carecen de una fuente de honra proveniente de él. Quizás eso explique en parte el hecho de que observemos a algunas mujeres que tienen varios hijos de padres diferentes complicando aún más su situación económica y de vida. Algunas mujeres pueden decir que ellas andan buscando a un hombre que se convierta en la fuente económica para su sustento, pero en realidad, en la dimensión espiritual, andan buscando a alguien como su fuente de honra.

En Juan 4. 5-29 leemos un relato muy interesante y conocido.

"Vino, pues, a una ciudad de Samaria llamada Sicar, junto a la heredad que Jacob dio a su hijo José. Y estaba allí el pozo de Jacob. Entonces Jesús, cansado del camino, se sentó así junto al pozo. Era como la hora sexta. Vino una mujer de Samaria a sacar agua; y Jesús le dijo: Dame de beber. Pues sus discípulos habían ido a la ciudad a comprar de comer. La mujer samaritana le dijo: ¿Cómo tú, siendo judío, me pides a mí de beber, que soy mujer samaritana? Porque judíos y samaritanos no se tratan entre sí. Respondió Jesús y le dijo: Si conocieras el don de Dios, y quién es el que te dice: Dame de beber; tú le pedirías, y él te daría agua viva. La mujer le dijo: Señor, no tienes con qué sacarla, y el pozo es hondo. ¿De dónde, pues, tienes el agua viva? ¿Acaso eres tú mayor que nuestro padre Jacob, que nos dio este pozo, del cual bebieron él, sus hijos y sus ganados? Respondió Jesús y le dijo: Cualquiera que bebiere de esta agua, volverá a tener sed; mas el que bebiere del agua que yo le daré, no tendrá sed jamás; sino que el agua que yo le daré será en él una fuente de agua que salte para vida eterna.

La mujer le dijo: Señor, dame esa agua, para que no tenga yo sed, ni venga aquí a sacarla. Jesús le dijo: Ve, llama a tu marido, y ven acá. Respondió la mujer y dijo: No tengo marido. Jesús le dijo: Bien has dicho: No tengo marido; porque cinco maridos has tenido, y el que ahora tienes no es tu marido; esto has dicho con verdad. Le dijo la mujer: Señor, me parece que tú eres profeta. Nuestros padres adoraron en este monte, y vosotros decís que en Jerusalén es el lugar donde se debe adorar.

Jesús le dijo: Mujer, créeme, que la hora viene cuando ni en este monte ni en Jerusalén adoraréis al Padre. Vosotros adoráis lo que no sabéis; nosotros adoramos lo que sabemos; porque la salvación viene de los judíos. Mas la hora viene, y ahora es, cuando los verdaderos adoradores adorarán al Padre en espíritu y en verdad; porque también el Padre tales adoradores busca que le adoren. Dios es Espíritu; y los que le adoran, en espíritu y en verdad es necesario que adoren.

Le dijo la mujer: Sé que ha de venir el Mesías, llamado el Cristo; cuando él venga nos declarará todas las cosas.

Jesús le dijo: Yo soy, el que habla contigo. En esto vinieron sus discípulos, y se maravillaron de que hablaba con una mujer; sin embargo, ninguno dijo: ¿Qué preguntas? o, ¿Qué hablas con ella?

Entonces la mujer dejó su cántaro, y fue a la ciudad, y dijo a los hombres: Venid, ved a un hombre que me ha dicho todo cuanto he hecho. ¿No será éste el Cristo?"

En este relato vemos que el Señor le dice a esta mujer: "cinco maridos has tenido, y el que ahora tienes no es tu marido." Esta mujer realmente lo que andaba buscando era una fuente de honra, no relaciones sexuales. Esto lo sabía el Señor y a través de su conversación con ella fue sanando sus heridas y restaurando su autoestima al revelarle que él era el Mesías, el Cristo esperado.

Hebreos 13:4 dice: "Honroso es en todo el matrimonio, y el lecho sin mancilla; más a los fornicarios y a los adúlteros juzgará Dios."

Dentro de un matrimonio en el que el principio de la

honra está bien establecido, la relación entre el esposo y la esposa es sólida y la vida íntima satisfactoria plenamente.

La honra en el matrimonio es lo que hace que la intimidad tenga un significado especial entre los conyugues.

La honra del hombre a la mujer

¿Cómo la esposa puede honrar a su esposo dentro del matrimonio? A continuación podemos tratar algunas formas: Exhibiendo una conducta irreprochable. La conducta de una esposa afecta como los demás ven al esposo. Indudablemente la forma en la cual nos comportamos ante los demás refleja quienes somos y los principios que poseemos.

No deshonrando su nombre de ninguna manera frente a otros. "Criticar a los esposos" ha venido a ser algo demasiado común cuando las esposas se reúnen. Es muy fácil incluirse y aun tratar de competir destacando las faltas de los maridos. Una cosa es traer tus dificultades a un consejero, pastor y hasta a una amiga cristiana confiable, pero es muy distinto compartir las faltas de tu esposo con amigas casuales o aun con amistades íntimas. También tienes que tener cuidado con las peticiones de oración públicas por tu esposo. No todos los cristianos saben guardar una confidencia. En muchas ocasiones una petición de oración termina en un secreto divulgado o en chisme.

Recuerda que si tu esposo es creyente tú estás casada

con alguien con un valor inigualable para Cristo. Y si Cristo lo tiene como algo valioso y de alta estima, ¿cómo no ha de ser de igual manera para ti?

"Asimismo vosotras, esposas, sujetaos a vuestros propios maridos; para que también los que no creen a la palabra, sean ganados sin palabra por la conducta de sus esposas, Considerando vuestra casta conversación, que es en temor" 1 de Pedro 3:1-2.

Una mujer que está casada con un hombre que no es cristiano, debe tratar a su esposo con respeto y alta estima. Cristo murió por sus pecados y también desea tener una relación con él. La Biblia dice que la conducta de la mujer cristiana puede ser un vehículo para ganar un esposo no cristiano para Cristo. Si tu esposo es no es cristiano, ¿tendría él el deseo de conocer más sobre tu Salvador basándose en tu conducta?

Mujer, pregúntate si tus hijos te ven honrar a su padre. Tú eres una gran influencia de cómo ellos ven a su padre por la forma como lo honras en la casa. Recuerda que el honor está involucrado en todo lo que haces con tu vida, en la manera como hablas y que trabajas, con los valores que tienes y tu moral. No hay nada que puedas decir o ver que no involucre honor de alguna forma. ¿Estás tú, como esposa, trayendo honor a Dios en la manera que tratas a tu esposo?

Romanos 12:10 dice que debemos "amarnos los unos a los otros con amor fraternal, respetándonos y honrándonos mutuamente."

PREGUNTAS **PARA LA DISCUSIÓN**
LA HONRA EN EL MATRIMONIO

1. Explica en tus propias palabras, ¿Por qué crees tú que el hombre es la fuente de honra para la mujer dentro del matrimonio?

_____

_____

_____

_____

2. ¿ Por qué una de las responsabilidades más importantes que el hombre debe asumir en su matrimonio es aumentar el nivel de honra de su esposa?

_____

3. ¿Por qué crees que es importante que el hombre aprenda a honrar a su esposa? ¿Acaso la honra no es algo que ya existe automáticamente en el matrimonio?

_____

4. Indica varias formas en la cual el hombre puede ir aumentando el nivel de honra de su esposa dentro del matrimonio.

_____

5. ¿Por qué cuando un hombre maltrata a su esposa realmente se está deshonrando a sí mismo?

_____

_____

Capítulo 8

LA HONRA
EN LA FAMILIA

"Honra a tu padre y a tu madre, como Jehová tu Dios te ha mandado, para que sean prolongados tus días, y para que te vaya bien sobre la tierra que Jehová tu Dios te da." Deuteronomio 5.16.

La honra dentro del reino de Dios se extiende a la familia a la cual pertenecemos ya que es el punto de inicio donde se aprende para luego mostrarla ante los miembros de la familia de Dios y ante Dios mismo. La honra es algo que se aprende en la familia de origen, no es algo automático.

La honra es algo que se aprende en la familia de origen, no es algo automático.

El contexto de este pasaje bíblico es cuando Dios le da al pueblo de Israel los diez mandamientos para que tuvieran una referencia de cómo conducirse ante Él y en la vida. Estos fueron:

1. No tendrás otros dioses delante de mí.

2. No harás para ti imagen de esculturas, ni figura alguna de, las cosas que hay arriba en el cielo, ni abajo en la tierra, ni de las que hay en el agua debajo de la tierra.

3. No tomarás en vano el nombre del Señor tu Dios.

4. Acuérdate de santificar el día sábado.

5. Honra a tu padre y a tu madre, para que vivas largos años sobre la tierra que te ha de dar el Señor, Dios tuyo.

6. No matarás.

7. No cometerás adulterio.

8. No hurtarás.

9. No levantarás falso testimonio contra tu prójimo

10. No codiciarás la casa de tu prójimo; ni desearás su mujer, ni su esclavo, ni su esclava, ni su buey, ni su asno, ni cosa alguna de las que le pertenecen.

De los diez mandamientos, los cuatro primeros tienen que ver con nuestra relación con Dios y los seis restantes tratan de las relaciones entre los seres humanos en la sociedad.

Dios consideró que el primer lugar de las relaciones humanas debía estar centrado en el mandamiento de la honra y lo coloco en el seno de la familia. Esto significa que le da una trascendencia capital, todo lo contrario ocurre en nuestra sociedad hoy cuando la institución familiar es atacada por muchos flancos, a pesar de que la *Declaración Universal de los Derechos Humanos de las Naciones Unidas, de 1948,* diga que *"la familia es la unidad fundamental de la sociedad."* El problema según la palabra es que en la familia no se enseña el principio de la honra como algo de vital importancia entre sus miembros.

Cuando Dios hizo la declaración del quinto mandamiento estaba pensando en que el núcleo familiar es el matrimonio compuesto por un hombre y una mujer, como él mismo lo creo originalmente. Pero este derecho se está corrompiendo en las legislaciones de algunos países al ampliarlo a las parejas de un mismo sexo.

Familias sanas versus disfuncionales

Existen los conceptos de familia funcional y disfuncional. Anteriormente todas las series de televisión eran orientadas hacia la familia funcional. En la actualidad están orientadas a las familias disfuncionales porque eso crea el espacio para aceptar cualquier cosa como "Normal." Para que aparezcan conceptos como "La nueva familia moderna" o "Lo nuevo normal" de hecho hay hasta un programa de televisión con ese nombre. Todo ahora aparece como lo "Nuevo" en contraposición a lo viejo, a lo anticuado. Es un nuevo orden que el ser humano está estableciendo a nivel global en contraposición al orden original que Dios estableció. Es el *humanismo* en contraposición del *cristianismo.*

Según la psicología las características de una familia sana o funcional son estas:
• Cada miembro conoce su rol y lo ejerce.
• Existen tareas definidas para cada miembro de la familia.
• Adaptabilidad: Tiene la capacidad de acomodarse a las diversas situaciones de la vida.
• Un conjunto de normas que se deben seguir.
• Una distribución del poder de acuerdo con las tareas.
• Maneras específicas de comunicación.
• Formas específicas de negociar y de resolver los problemas.

Como vemos estas características las pueden cumplir las familias que se consideran "sanas" según los nuevos criterios, y aun de un mismo sexo.

Dios estableció la familia heterosexual como el pilar fundamental para una sociedad sana y por eso el quinto mandamiento es el primero que regula las relaciones familiares y, por tanto, es prioritario. Cuando se desestima la voluntad divina en la sociedad, vemos las consecuencias: niños que se escapan de casa afectados por el divorcio de sus padres, seguido muchas veces por la delincuencia juvenil. La decadencia moral de una sociedad empieza cuando a los hijos no se les enseña a honrar a sus padres.

La decadencia moral de una sociedad empieza cuando a los hijos no se les enseña a honrar a sus padres.

¿Qué significa bíblicamente honrar a padre y madre?

1. HONRAR SIGNIFICA VALORAR O TENER RESPETO.

Nuestros padres naturales deben ser respetados por el solo hecho de ser nuestros progenitores, incluso debemos honrarles *aunque* no sean un modelo a seguir.

"Por causa del Señor someteos a toda institución humana, ya sea al rey, como a superior, ya a los gobernadores, como por él enviados para castigo de los malhechores y alabanza de los que hacen bien. Ésta es la voluntad de Dios: que haciendo bien, hagáis callar la ignorancia de los hombres insensatos. Actuad como personas libres, pero no como los que tienen la libertad como pretexto para hacer lo malo, sino como siervos de Dios. Honrad a todos. Amad a los hermanos. Temed a Dios. Honrad al rey." 1 Pedro 2:13-17.

Aquí el apóstol Pedro instó a los creyentes, que estaban a las puertas de la persecución de los gobernantes, a honrarlos. Dios nos enseña aquí que sus normas para el ordenamiento de la sociedad no dependen del carácter del dirigente para tener derecho a gobernar o a la obligación de obedecerle de los súbditos. Nuestros gobernantes deben ser respetados por el solo hecho de ser nuestros gobernantes.

Pedro dice: "someteos a toda institución humana... honrad al rey" cuando en esta época el rey era nada menos que Nerón. Este mismo principio de la honra se mantiene para los hijos que deben mostrarla a sus padres en sus respectivas familias.

2. HONRAR, SIGNIFICA OBEDECER.

En Colosenses 3.20, Pablo enseñó lo mismo: "hijos, obedeced a vuestros padres en todo, porque esto agrada al Señor." La obediencia de este mandamiento en el hogar tiene como objetivo aprender a valorar la vida de todo ser humano desde niños. En un hogar donde se deshonra a los padres por falta de disciplina, donde los abuelos son ridiculizados, difícilmente se corregirán los comentarios despectivos sobre el color, la etnia, la religión, o la minusvalía de las personas.

Mucho antes que el niño piense en quebrantar alguno de los otros mandamientos, querrá hacerlo con el quinto.

El niño intentará liberarse de la disciplina paterna y materna, por tanto, es lo primero que debe aprender a valorar.

"Oye, hijo mío, la instrucción de tu padre, y no desprecies la dirección de tu madre." Proverbios 1.8. Debemos considerar seriamente este consejo bíblico pues escuchar es honrar. No tenemos por qué aceptar, estar de acuerdo, o seguir todo lo que nos dicen, pero escuchar y respetar son formas de honrar a nuestros padres.

El quinto mandamiento nos lleva a considerar que los hijos debemos escuchar lo que tienen que decirnos nuestros progenitores. No porque tengan mucho más conocimientos que nosotros cuando llegamos a la edad adulta, aunque hay una sabiduría que se gana con la edad y la experiencia que no debe ser despreciada pues es una deshonra a ellos. Pero sobre todo debemos escucharlos, particularmente si sus puntos de vista se rigen por las Sagradas Escrituras.

Debemos escuchar a nuestros padres particularmente si sus puntos de vista se rigen por las Sagradas Escrituras.

Es bastante habitual que cada nueva generación piense que sus padres están desfasados y que no tienen que enseñarles nada a la generación más joven y ahora con la informática, la cima se ha agrandado más. Por otro lado, la generación más antigua piensa que la siguiente no es tan buena como ellos cuando eran jóvenes y la más joven desprecia a la anterior por suponer que no sintoniza con la realidad actual.

Deberíamos respetar los puntos de vista de la generación anterior aunque no estemos de acuerdo con ellos. Actualmente hay mucha sensibilidad sobre el abuso a menores, pero hay que tenerla también por el abuso a que son sometidos algunos padres por sus hijos. Hace algunos meses aparecía una mujer anciana por televisión con los ojos morados por las palizas que le daban su hija y su yerno, ambos drogadictos.

"El que hiriere a su padre o a su madre, morirá." Éxodo 21:15.

"Igualmente el que maldijere a su padre o a su madre, morirá." Éxodo 21:17.

"El ojo que escarnece a su padre y menosprecie la enseñanza de la madre, los cuervos de la cañada lo saquen, y lo devoren los hijos del águila." Proverbios 30:17.

Estas porciones bíblicas nos muestran que el Señor trata con severidad la ruptura del mandamiento de la honra a los padres.

"También debes saber que en los últimos días vendrán tiempos peligrosos. Habrá hombres amadores de sí mismos, avaros, vanidosos, soberbios, blasfemos, desobedientes a los padres, ingratos, impíos." 2 Timoteo 3:1 y 2.

Notemos que una de las características de los últimos tiempos es precisamente la desobediencia a los padres.

3. HONRAR, SIGNIFICA CUIDAR A LOS PADRES.

Mateo 15:4-9 dice: "Dios mandó diciendo: "Honra a tu padre y a tu madre", y "El que maldiga al padre o a la madre, sea condenado a muerte", pero vosotros decís: "Cualquiera que diga a su padre o a su madre: 'Es mi ofrenda a Dios todo aquello con que pudiera ayudarte', ya no ha de honrar a su padre o a su madre."

Así habéis invalidado el mandamiento de Dios por vuestra tradición. Hipócritas, bien profetizó de vosotros Isaías, cuando dijo:

> »"Este pueblo de labios me honra,
> mas su corazón está lejos de mí,
> pues en vano me honran,
> enseñando como doctrinas mandamientos de hombres."

El Señor confrontó a los judíos hipócritas quienes se aferraban a una tradición para evitar sostener a sus padres diciendo que lo habían destinado como ofrenda a Dios, pero el Señor Jesús les dijo que con esa actitud invalidaban el quinto mandamiento. Esta porción hace referencia al cuidado de los hijos hacia los padres; de que existe el deber y la responsabilidad de proveer para ellos pues es una forma de honrarlos.

"Pero si alguna viuda tiene hijos o nietos, aprendan estos primero a ser piadosos para con su propia familia y a recompensar a sus padres, porque esto es lo bueno y agradable delante de Dios." 1 Timoteo 5:4.

Pablo muestra en esta porción el ciclo de la honra que se abre cuando los padres tienen la obligación divina de cuidar de sus hijos mientras estos están pequeños o jóvenes, pero cuando los hijos son adultos las cosas cambian, y entonces son los hijos los que tienen la responsabilidad divina de cuidar a sus padres ancianos y de esa forma se cierra el ciclo de la honra de la vida en ambas generaciones.

No podemos pasar por alto estos dos aspectos del plan de Dios para las familias. Cuando somos jóvenes debemos honrar y valorar a nuestros padres por lo que son. Cuando son ancianos debemos honrarlos por su valor como personas hechas a la imagen de Dios. No se trata de devolverles los favores que nos han hecho en el pasado, porque esto sería como lo que se hace con un caballo victorioso que después de ganar muchas carreras se retira con honores, pero el que fracasa va a parar al matadero. El cuidado de los padres es la respuesta al quinto mandamiento que nos recuerda el valor de quienes Dios creó a su imagen y semejanza y una forma muy profunda de mostrar el ciclo de la honra.

Este mandamiento nos hace reflexionar si hemos honrado a nuestros padres de forma consecuente o no. El Señor Jesucristo nos da la oportunidad de renovación y perdón hoy. Todos aquellos que han quebrantado el quinto mandamiento pueden encontrar una vida nueva por medio de Cristo y a partir de ahí recibir nuevas fuerzas para obedecer al Señor siguiendo el modelo que puede dar a nuestros hijos un hogar del que disfrutar y unos padres a los que honrar.

La honra es el único mandamiento con una promesa. Evidentemente esta promesa se cumple si el ciclo de honra mutua se cumple. Si los padres aconsejan y los hijos aceptan su sabiduría, esto les puede salvar de muchos peligros en la vida.

PREGUNTAS PARA LA DISCUSIÓN
LA HONRA LA FAMILIA

1. Explica, ¿por qué crees tú que Dios consideró que el primer lugar de las relaciones humanas debía estar centrado en el mandamiento de la honra?

_____

_____

_____

_____

2. Explica, ¿por qué crees tú que Dios colocó la honra en el seno de la familia?

_____

_____

3. ¿Por qué la decadencia moral de una sociedad empieza cuando los padres pierden el control de sus hijos y los hijos no honran a los padres?

_____

_____

_____

4. ¿Por qué la disciplina paterna y materna es lo primero que el niño debe aprender a valorar?

_____

_____

5. ¿Por qué el Señor trata con severidad la ruptura del mandamiento de la honra a los padres en las sagradas escrituras?

_____

_____

Capítulo 9

MI LEGITIMA HISTORIA
DE HONRA

"Desde el vientre de tu madre te llamé, te escogí y te puse nombre." Isaías 44.2

Mi padre y mi madre fueron personas del medio rural en Venezuela. Decidieron vivir juntos en unión libre cuando apenas mi madre tenía trece años de edad y mi padre dieciocho. Ambos eran totalmente inexpertos en lo que se refería a formar una familia funcional. Ambos iniciaron una travesía de vida de 67 años juntos. La misma los llevaría a tener trece hijos de los cuales murieron los primeros cuatro en forma temprana. Así permanecieron por muchos años y por esa razón todos nosotros teníamos solamente el apellido de soltera de mi madre: García. Yo ocupaba el lugar número siete entre todos mis hermanos, y el cuarto entre los que quedaron vivos.

> Toda familia tiene un nivel de honra concedido por Dios pero cada miembro debe asumir la responsabilidad de qué hacer con ella.

Cuando estudiaba en la escuela elemental mi educación primaria y luego al pasar a la educación secundaria, había una forma sutil pero dañina que se utilizaba entre mis compañeros de clases de hacer sentir inferiores a aquellos que contábamos con un solo apellido. Preguntas como: "¿Y cuál es tu segundo apellido? O exclamaciones como: "¡Ah, sólo tienes un apellido!" mostraban la hiriente verdad: ¡Eres un hijo ilegítimo! La sensación que se sentía era muy desagradable en lo más profundo del ser y aunque aparentábamos que no nos hacía daño, la verdad es que nos dolía mucho.

De esa forma transcurrió mi vida estudiantil hasta que llegue a la universidad para estudiar medicina. En esa etapa de mi vida me desconecte de mi familia consanguínea por divergencia con ellos, y me enrumbe a buscar mi propio destino. Fue ahí cuando conocí a la que se convertiría en mi familia de crianza siendo un adolescente. Era una familia constituida por cinco personas: mi padre, mi madre, mis dos hermanas y mi hermano menor.

Al llegar a la universidad la misma sensación de ser un hijo ilegitimo continuaba en forma silenciosa pero afloraba en momentos donde el prejuicio de las personas aparecía con su sutil veneno. Como el afecto y la afinidad entre mi familia de crianza y yo creció vertiginosamente, tomamos la decisión en dos ocasiones de tomar los dos apellidos de ellos. Fuimos a los juzgados para realizar el trámite legal pero Dios no lo permitió. En ambas ocasiones paso algo imprevisto en los juzgados y no pudimos hacer el cambio de apellido por lo cual no insistimos más.

Pasaron los años y me gradué como médico y el apellido que apareció en mi título fue el de mi madre. Yo continué viviendo con mi familia de crianza hasta que me case a la edad de treinta años y mi esposa Nelly adquirió mi apellido.

Luego de pasar apenas dos meses de casados mi esposa

y yo entregamos nuestras vidas al Señor Jesucristo con lo cual comenzó un proceso muy profundo de restauración de mi identidad. Las oraciones de mi familia de crianza jugaron un papel importante en mi conversión ya que ellos ya habían aceptado al Señor en sus corazones unos meses antes.

En la esfera humana los apellidos representan la honra con la cual vivimos en la sociedad a la pertenecemos.

Mi conversión fue algo extraordinaria porque yo no permitía que mi familia me predicara la palabra de Dios pero ellos oraban por mí. En una Semana Santa cuando yo regresaba de mi guardia médica en el hospital donde trabajaba para ese entonces, tuve una experiencia sobrenatural. Encendí la televisión y estaba la escena de la muerte de Jesucristo en la cruz. Lo vi por unos minutos pero decidí apagar la televisión y descansar. Luego de apagar las luces de mí apartamento me acosté en mi cama, en ese momento el Señor Jesús me hablo directamente a mi mente. Eso me sorprendió y pensé inicialmente que era mi imaginación pues estaba muy cansado físicamente. Como la voz continuaba hablando a mi mente y me decía que era Jesucristo quien había muerto en la cruz por mis pecados, entonces le dije que se manifestara. Realmente no sé por qué dije eso. De inmediato una luz muy brillante inundo mi cuarto, era tan fuerte que cerré mis ojos y metí mi cabeza entre mis rodillas pues una sensación de temor reverente me inundo. Mi vida desde niño hasta la edad que tenía en ese momento pasó por mi mente en forma acelerada. Comencé a conversar con el Señor y le dije que en mi niñez y adolescencia lo ame y quise servirle pero me había apartado de él.

El Señor comenzó a decirme que me amaba y que me había escogido para llevar a cabo un llamado especial sobre mi vida. Que él había muerto por mí en la cruz del calvario. Le dije lo aceptaba como Salvador y Señor de mi vida. Luego vino a mi mente una visión donde el Señor ponía su mano sobre mi cabeza y oleadas de fuego entraron por ella y algo muy frio salía de mis pies. Comencé a llorar profundamente por varias horas sin interrupción pues mi esposa se encontraba en una vigilia con mi familia de crianza. Lloré hasta la madrugada cuando ella regreso y yo contuve el llanto para que ella no se diera cuenta de lo que había acontecido. Fue una experiencia tan profunda, sobrenatural, tan personal. ¡Había tenido una experiencia profunda con el Dios vivo! Desde esa experiencia, me entregue totalmente a desarrollar una relación íntima con el Señor Jesucristo, de esa relación profunda surgió la sanidad y restauración de mi alma y luego mi llamado como ministro. Todo fue muy acelerado, pues de inmediato ya me encontraba ministrando la palabra de Dios, y siendo utilizado en sanidad, restauración y milagros.

> **Las experiencias sobrenaturales con Dios que tenemos el privilegio de vivir marcan nuestra vida para siempre.**

En una ocasión mientras me encontraba orando, el Espíritu Santo me mostró que pronto tendría contacto nuevamente con mi familia consanguínea con la cual no tenía contacto desde hacía unos doce años. Sucedió así. Y algo de lo que me enteré fue que mi padre, quien había vivido en concubinato con mi madre toda su vida, había tomado la decisión de casarse con ella y legitimar a todos mis hermanos. Les dio su apellido y ahora ellos tenían el de mi padre y el de mi madre consanguínea. La verdad es que no le di gran importancia al acontecimiento. Reinicié la relación con mis hermanas consanguíneas primeramente, luego con mi padre y finalmente con el resto de la familia. Como yo me había alejado de mi familia enojado, principalmente con mi padre, el proceso fue lento. Así paso el tiempo y según mi parecer ya había sanado mis heridas del pasado.

En un tiempo de oración el Señor me dijo que yo estaba resentido con mi padre consanguíneo y que tenía que perdonarlo de todo corazón y honrarlo. Eso me sorprendió porque yo creía no tener rencor en mi corazón hacia él. Pero el Señor me mostró que yo seguía con el apellido de soltera de mi madre y que tenía que asumir el apellido de mi padre para honrarlo y convertirme legalmente en su hijo legítimo. Fue tan profunda la sensación de urgencia que el Espíritu Santo colocó en mi ser que decidí iniciar los trámites para hacerlo. Tuve que contratar los servicios profesionales de un abogado y permanecer tres años cambiando todos los documentos legales. Cuando fui a la universidad a notificar el cambio de apellido me dijeron que harían la corrección en los archivos pero que mi título quedaría como fue emitido. Tuvieron que hacer un acta especial que me permitió cambiar mi credencial médica con el nuevo apellido.

Mi esposa Nelly tuvo que volver a obtener sus nuevos documentos con su nuevo apellido. También tuvimos que obtener nuevos documentos para mis dos hijos Gabriel y Jonathan.

Luego de eso el Señor me dio instrucciones de investigar mis generaciones pasadas como un acto de honra a ellos. Tuve que contratar los servicios de un profesional que se encargaba de investigar y estructurar los árboles genealógicos. Conocí muchos datos interesantes que ignoraba de la historia familiar. Mi línea genealógica se remontaba a un inmigrante de Florencia, Italia, que llegó a Venezuela y se asentó en el occidente del país dedicándose a la agricultura.

Toda persona que nace, llega a este mundo con derechos especiales otorgados legítimamente por Dios.

Cuando nacieron mis dos hijos, Gabriel Josué y Jonathan David, recibieron mi apellido y el de mi esposa. Nacieron como hijos legítimos de sus padres. Toda persona que nace, llega a este mundo con derechos especiales otorgados legítimamente por Dios porque ha sido creado para cumplir un propósito especial y único del que tendrá que entregar cuentas una vez concluya su vida.

En el año 1994 el Señor nos dio instrucciones a mi esposa y a mí para que nos mudáramos a los Estados Unidos y desde ahí movilizarnos a las diferentes naciones para ministrar la palabra de Dios. Unos días antes de salir de Venezuela, el Señor me dijo algo que tardé varios años en entender: "Vas a crear un nuevo linaje, tus hijos serán diferentes a sus primos, serán hombres de naciones. Tendrán el mismo apellido pero este será diferente."

En el año 1995 me encontraba de viaje y en un aeropuerto vi que estaban haciendo propaganda de una empresa que se encargaba de buscar la historia de los apellidos. Fue así como contraté sus servicios y me hicieron la investigación de la historia de mi apellido confirmando su origen en la provincia de Florencia en Italia y derivado del vocablo italiano "Caro" que significa "querido, amado".

Cuando el Señor nos envía a una nación
que no es la de nuestro origen,
tenemos que honrarla haciendo lo mejor
para extender el Reino de Dios en ella.

En abril del año 2001 nos hicimos ciudadanos de los Estados Unidos para honrar a la nación a la cual Dios nos había enviado, pero también mantuvimos la ciudadanía venezolana honrando a nuestra nación de origen y en el caso de mi esposa ella mantuvo también su ciudadanía colombiana. Antes de la ceremonia ocurrió algo interesante con el oficial americano que me entrevisto. Me informó que había aprobado los trámites para hacerme ciudadano y me dijo también: "José, puedes cambiarte el apellido si lo deseas. Esto es un nuevo comienzo, puedes obtener una nueva identidad para tu familia." Yo no entendí que era el Señor recordándome lo que me había dicho varios años atrás antes de salir de Venezuela. "Tendrán el mismo apellido pero este será diferente."

En Junio del año 2010 mi esposa y yo viajamos a realizar una campaña evangelística en la Republica Checa. Fue un tiempo profundo de la presencia de Dios y su respaldo no se hizo esperar con señales poderosas. Al finalizar tuvimos la oportunidad de pasar por Polonia y Alemania. Luego viajamos a España y de ahí a Italia, Francia y Suiza. Cuando estábamos en Italia ocurrió algo interesante. Me puse en contacto con muchos elementos de mi infancia ya que durante ese periodo de mi vida tuve contacto con varias personas italianas. Ahí me dijeron "tu origen es toscano. Tu apellido no es con una 'C' sino con dos." Me pareció simpática la experiencia vivida pero sin mayor transcendencia.

Cristo, es quien nos da la verdadera legitimización como ciudadanos del Reino de Dios.

Al regresar a Estados Unidos, estando en un tiempo de oración y de repente tuve una visión en mi mente, vi mi apellido escrito en letras grandes CARUCI. Pero luego observe que se insertaba una letra C casi al final del mismo quedando CARUCCI. El Señor puso en mi mente estas palabras: "Me estoy insertando en tu apellido, y en tu linaje, para honrarte como hijo legítimo."

Cristo, es quien nos da la verdadera legitimización como ciudadanos del reino de Dios. El Señor me dio instrucciones de cambiar nuevamente mi apellido y colocar mi apellido con doble "C," no para colocarlo como originalmente era sino para honrarlo a Él. Ahí pude entender lo que me dijo al salir de Venezuela en 1994: "Tendrán el mismo apellido pero este será diferente."

Iniciamos los trámites y finalmente el 14 de Agosto del 2013 legalmente, un juez del estado de Texas, aprobó el cambio de apellido a CARUCCI el cual también recibió mi esposa Nelly y mis dos hijos Gabriel y Jonathan.

Con estas experiencias de cambio de apellidos pude aprender que para honrar a alguien no solo tenemos que hacerlo con palabras sino respaldarlas con hechos. Especialmente a Dios quien lo requiere de nosotros.

La honra a Dios dejando nuestra carrera como médicos.

Otro de los relatos que muestran le honra a Dios fue el que mi esposa Nelly y yo hicimos en 1994 cuando viajamos a Estados Unidos para establecer nuestra residencia en esa nación y desde ahí salir a ministrar a las diferentes naciones donde el Señor nos enviaba.

Mi esposa Nelly es originaria de Barranquilla, Colombia. Ella desde muy niña soñaba con ser médico. Ella incluso jugaba a ser médico y le pedía a su hermano que fuera su paciente. Con esa idea en mente se mudó con parte de su familia a Venezuela una vez concluidos sus estudios de educación secundaria. Se inscribió en la universidad central de Venezuela y comenzó sus estudios de medicina. Fue una estudiante apasionada y con mucha convicción de lo que quería lograr en su carrera.

Por mi parte yo tuve una experiencia sobrenatural con Dios en mi niñez que marco mi destino hacia la medicina. Sufrí de un problema cardiaco que obligo el recluirme en un hospital por un tiempo para ser examinado por especialistas. Durante mi estadía concientice que me gustaría ayudar a salvar la vida de personas gravemente enfermas y mantener la salud de las personas sanas. El Señor hizo un milagro y me sano totalmente mi corazón al punto de que llegue a ser maratonista en mis primeros años de carrera universitaria y participar en competencias.

Cuando Nelly viajo a Venezuela tenía en mente graduarse de Medico y luego regresar a Colombia para asimilarse en la marina. Pero mientras cursábamos la carrera nos conocimos haciendo deportes. Cultivamos una relación de amistad sincera durante dos años y luego pasamos a una relación de noviazgo de dos años más. Finalmente nos casamos en 1985. Para ese entonces yo estaba recién graduado y a mi esposa le faltaban todavía dos años para finalizar la carrera.

Hicimos los arreglos necesarios para que ella terminara la carrera de medicina y realizara su postgrado en Nutrición clínica. Fue un tiempo intenso de estudios combinado con el trabajo y la venida al mundo de nuestros dos hijos. Mi esposa Nelly y yo tuvimos que hacer grandes esfuerzos para hacer todo eso al mismo tiempo. Teníamos guardias médicas en varios hospitales lo cual nos ausentaba de nuestro apartamento. Pero debido al amor que teníamos por nuestra carrera médica lo superamos y disfrutamos.

Tiempo después establecimos nuestra práctica privada la cual la combinábamos con el ejercicio del ministerio Valle de la Decisión al cual el Señor nos llamó a fundar en 1986. Este era un ministerio profético a las naciones a través del cual realizábamos retiros de ayunos, movimientos de oración por las naciones y campañas de sanidad y milagros. Este ministerio comenzó en pequeña escala pero a través del tiempo comenzó el Señor a abrir puertas en otras naciones a los cuales comencé a viajar. Fue otro tiempo muy intenso de viajes, campañas de sanidad, combinado con el trabajo como médicos que hacíamos mi esposa y yo. En 1994 el Señor me trajo a mi mente lo siguiente: "quiero que me entregues tu carrera como médico pues te voy a llevar a los diferentes continentes a predicar el evangelio. Te vas a mudar a los Estados Unidos". Cuando yo escuche eso fue impactante para mí. Muchas personas para ese entonces deseaban mudarse a los Estados Unidos, pero en cambio mi esposa Nelly y yo no nos llamaba la atención hacerlo. Yo había ido varias veces a predicar en esa nación y no me atraía para vivir allá. Me sentía muy confortable en Venezuela ejerciendo la medicina y el ministerio simultáneamente. El caso de mi esposa Nelly era aún más extremo. Ella ni siquiera me quiso acompañar en alguna de las veces que visite los Estados Unidos. Ella no le gustaba esa nación para nada.

Le respondí "Señor tu sabes que para mí la medicina es lo numero uno en mi vida" El me respondió a mi mente: "Lo sé, por eso quisiera ocupar ese lugar en tu corazón" Después de un tiempo de reflexión profunda le dije: "Señor está bien, yo te amo más a ti. Te entrego mi carrera como un acto de honra a ti. Viajare a las naciones llevando el mensaje del evangelio" Pero también le dije: "Señor tu sabes que mi esposa Nelly ama también su carrera. Ella, al igual que yo, estudio medicina por una profunda vocación de ayudar al prójimo. Por favor trata tu directamente con ella este asunto".

Cuando llego mi esposa de su trabajo le dije: "Nelly el Señor trato hoy algo muy importante conmigo. Pero como es algo muy personal y profundo le pedí que lo tratara directamente contigo. De esa forma si fue Dios el que me hablo lo confirmara a través de ti" Mi esposa tomo ese fin de semana para ayunar y pedirle al Señor que le hablara. Al regresar le pregunte: "Te hablo el Señor" Ella me contesto: "Bueno, creo que es el Señor. Sentí con mucha fuerza que tenemos que mudarnos a los Estados Unidos y dejar de ejercer la medicina para llevar adelante el ministerio" En ese momento le confirme que era lo mismo que el Señor había puesto en mi corazón. Le dije: ¿Cómo te sientes con referencia a eso? Ella muy sinceramente me dijo: "Con miedo pero yo te sigo a donde él Señor te dirija" Sin embargo me puso una condición: "Yo no me mudo a Estados Unidos si no tenemos toda la documentación legal para entrar como ministros a esa nación" Dios hizo un milagro. Yo viaje a USA a ministrar e introduje en el mes de marzo la documentación y en ese mismo año recibimos la residencia en esa nación.

Mi esposa Nelly y yo honramos el llamado que el Señor nos hizo a ministrar en las naciones. Nunca olvidare la noche anterior a nuestro viaje a Estados Unidos, mi esposa Nelly y yo lloramos juntos ante el Señor en el momento que entregamos nuestra carrera como médicos.

A veces se requiere la renuncia
a algo que amamos para mostrar honra a Dios.
La honra requiere obediencia.

PREGUNTAS **PARA LA DISCUSIÓN**
MI LEGÍTIMA HISTORIA DE HONRA

1. ¿Por qué es importante sanar las heridas del pasado en la familia consanguínea o sustituta que Dios nos da?

_____

_____

_____

2. ¿Por qué crees tú que el Señor nos permite tener experiencias sobrenaturales con él?

_____

_____

_____

3. ¿Por qué crees tú que Dios puede pedirle a alguien que cambie su nombre o apellidos?

_____

_____

4. ¿Qué impacto espiritual crees tú que un cambio de apellido ordenado por Dios puede causar en las generaciones futuras?

_____

_____

5. ¿Por qué la honra no solo se tiene que expresar con palabras sino que la debemos respaldar con hechos?

_____

_____

6. ¿Dios le pidió a Abraham que sacrificara a su hijo Isaac como una muestra de su temor reverente hacia Él. ¿Explica si tú has tenido que realizar algún sacrificio a través del cual tú le has mostrado tu honra a Dios?

_____

_____

Capítulo 10

EJERCIENDO EL PODER
DE LA HONRA

"Honrad a todos. Amad a los hermanos. Temed a Dios. Honrad al rey." 1 Pedro 2.17.

El poder de la honra:
- Cambia la esencia de las relaciones
- Construye nuevos tipos de relaciones
- Nos permite crear el ambiente que nos rodea
- Eleva el estatus del que la recibe
- Se fundamenta en responsabilidad

CAMBIA LA ESENCIA DE LAS RELACIONES.

Dany Silk en su libro Cultura de Honor dice: "Donde no hay honor hay miedo, y este comienza a controlar la relación entre dos personas."

En los ambientes donde se produce el temor no hay lugar para el amor porque la honra no se ejercita. El amor es el antídoto para las inseguridades en nuestra vida, los complejos de inferioridad, o la sensación de ilegitimidad. La honra abre un camino para que se ejercite el amor y este a su vez acabe con nuestras inseguridades. Entonces, aprender el principio de la honra es aprender a proteger nuestras relaciones más importantes en nuestra vida.

> Cada vez que practicamos la honra
> estamos protegiendo las relaciones
> más importantes en nuestra vida.

Construye nuevos tipos de relaciones.

La honra cambia la percepción de quienes somos nosotros con relación a la otra persona y la forma en la cual podemos unir fuerzas con ella en una sola dirección para construir juntos. Honra es mantenerse unido voluntariamente a aquellas personas con las cuales podemos construir algo importante en nuestra vida y en la de ellos aportando ambas partes lo mejor de sí.

Cuando cultivas relaciones genuinas a través de la práctica de la honra estas son sólidas y estables a través del tiempo.

Nos permite crear el ambiente que nos rodea.

Todos podemos crear un ambiente sano de crecimiento que nos rodee a través de la honra. Como creyentes creamos la atmosfera que nos rodea al enseñar con nuestro ejemplo a otras personas sobre un tópico en particular a través de vivir lo que hablamos, es decir al vivir desde nuestros valores.

Por ejemplo en los negocios creamos la atmosfera que rodea a nuestros empleados porque somos mentores para ellos. Como padres creamos una atmosfera, una cultura, que trasmitimos a nuestros hijos.

> Todos podemos ejercer el poder de la honra
> y crear un ambiente sano de crecimiento
> que nos rodee.

Eleva el estatus del que la recibe.

"Aconteció que cuando él hubo acabado de hablar con Saúl, el alma de Jonatán quedo ligada con la de David, y lo amó Jonatán como a sí mismo. Y Saúl le tomo aquel día, y no le dejó volver a casa de su padre. E hicieron pacto Jonatán y David, porque él le amaba como a sí mismo. Y Jonatán se quitó el manto que llevaba, y se lo dio a David, y otras ropas suyas, hasta su espada, su arco y su talabarte." 1 Samuel 18.1-4.

David y Jonatán tenían una relación de pacto fundamentada en la honra. Jonatán le dio a David como un acto de honra su manto, otras ropas suyas, y sus armas que le pertenecían. Le dio elementos que representaban la nobleza que él tenía como hijo del rey Saúl. Cuando hizo eso el estatus de la relación entre ellos subió a un nuevo nivel. Eso es lo que produce la honra, enriquece la vida del que la recibe.

El poder de la honra permite que la persona que la recibe sea elevada al mismo nivel en el cual se encuentra alguien en una mejor posición. Eso crea el ambiente de seguridad y libertad entre ellos.

La honra enriquece la vida del que la recibe.

Una persona transfiere el estatus de su vida a otra persona para que esta suba al mismo nivel. Lo mismo ocurrió cuando Faraón le transfirió elementos de la realeza a José. Eso fue lo que hizo el Señor con nosotros. Nos llevó a ser coherederos y colaboradores con él. Nos llevó a formar parte de la familia real. Eso nos dio una gran libertad al ser elevados a ese nivel con él.

Se fundamenta en responsabilidad.

Ser honrados por una persona nos hace ser conscientes de la responsabilidad que tenemos en mantener un nuevo tipo de relación con ella.

La honra trae la responsabilidad de asumir la nueva posición a la cual hemos sido promovidos.

La persona se convierte en alguien empoderado, y responsable, en esa relación porque su estatus ha sido elevado por medio de la honra. La honra proviene de alguien que estima tu vida y por eso te protege y eso a su vez te mueve a protegerlo a él. Eso crea una atmosfera saludable donde unos a otros se levantan a un nuevo nivel aun teniendo diferencia de opiniones.

Los que reciben nuestra honra.

¿Aquellos que se lo merecen? ¿Los que se lo han ganado?

"Honrad a todos. Amad a los hermanos. Temed a Dios. Honrad al rey." La biblia nos enseña en esta porción que tenemos que honrar a todas las personas.

La honra proviene de la libertad de quienes somos como persona.

La honra procede de los que están en la posición más elevada. Padres, ministros del evangelio, presidentes, gobernantes, dueños de negocios, jefes, etc. Todos nosotros tenemos un círculo de influencia así sea pequeño pero lo tenemos. Es decir, tenemos una posición superior a alguien que está bajo nuestro cargo por lo cual podemos ejercer el poder de la honra.

La honra procede de los que están en la posición más elevada.

PREGUNTAS PARA LA DISCUSIÓN
EJERCIENDO EL PODER DE LA HONRA

1. ¿Por qué la honra cambia la esencia de las relaciones?

_____

_____

2. ¿Por qué cada vez que practicamos la honra estamos protegiendo las relaciones más importantes en nuestra vida?

_____

_____

3. ¿Por qué la honra no depende de la otra persona sino de quién soy yo?

_____

_____

4. ¿Por qué la honra enriquece la vida del que la recibe?

_____

_____

5. ¿Por qué al ejercer el poder de la honra estamos creando personas honorables?

_____

_____

_____

_____

Capítulo 11

LA HONRA
CON LAS PALABRAS Y LOS HECHOS

"Con ella bendecimos al Dios y Padre y con ella maldecimos a los hombres, que están hechos a la semejanza de Dios. De una misma boca proceden bendición y maldición. Hermanos míos, esto no debe ser así. ¿Acaso alguna fuente echa por una misma abertura agua dulce y amarga? Hermanos míos, ¿puede acaso la higuera producir aceitunas, o la vid higos? Del mismo modo, ninguna fuente puede dar agua salada y dulce." Santiago 3: 9-12.

Para Dios el uso que nosotros hagamos de la lengua es algo serio.

Esta porción bíblica nos muestra la importancia de las palabras en la creación de nuestra realidad. Para Dios el uso que nosotros hagamos de la lengua es algo serio. O la usamos para honrar o para deshonrar. Para construir o para destruir.

Él con su boca nos trajo a existencia. Habló y fueron creados los cielos y la tierra. El hombre y todo lo que en ella hay.

97

Fuimos creados a imagen de Dios, pero hemos sido instruidos en cómo utilizar la lengua para crear. Usualmente la usamos para destruir y no para crear. Eso tiene que cambiar porque tenemos que honrar a Dios al usar la lengua en la misma forma que Él la usó: para crear.

Fuimos creados a imagen de Dios, pero no hemos sido instruidos en cómo utilizar la lengua para crear.

El poder creativo de las palabras para honrar es algo que tenemos que aprender a desarrollar proclamando con fe la palabra de Dios con nuestra boca. De esa forma honramos a Dios.

El poder del ser humano está en su lengua. Entonces, los pensamientos deben ser encausados a través del uso correcto y creativo de las palabras.

El lenguaje lo definimos como un conjunto de sonidos articulados con que el hombre manifiesta lo que piensa o siente, o también como una manera de expresarse.

Y la creatividad como la facultad de crear, entendiendo esta última como la capacidad para producir algo de la nada.

De este modo, podemos usar el lenguaje y la creatividad para expresar y transmitir mensajes de modo original y libre para crear algo nuevo.

Todos conocemos y hacemos uso del mismo lenguaje,

pero no todos lo usamos y aplicamos de la misma manera, ya que cada uno utiliza su imaginación y creatividad de manera personal para plasmar lo que piensa o siente. Si bien la creatividad es muy importante en el lenguaje, no es una cualidad que se desarrolle de repente, sino que debemos trabajarla.

Por siglos, se consideró al lenguaje como un instrumento que nos permite «describir» lo que percibimos (el mundo exterior) o «expresar» lo que pensamos o sentimos (nuestro mundo interior). Esta concepción le daba al lenguaje una capacidad fundamentalmente pasiva o descriptiva. El lenguaje, se suponía, nos permitía hablar «sobre» las cosas. La realidad se asumía ya dada, antecedía al lenguaje y éste se limitaba a «describirla».

Sustentado en los avances registrados durante las últimas décadas en el campo de la neurociencia, se reconoce que el lenguaje no sólo nos permite hablar «sobre» las cosas: el lenguaje también hace que sucedan cosas.

El lenguaje es generativo, no sólo descriptivo. Nos permite crear realidades, no sólo describir la realidad existente. El lenguaje también es activo. Por medio de él participamos en el proceso de construcción de nuestro mundo. Al decir lo que decimos, al decirlo de un modo y no de otro, o no diciendo cosa alguna, abrimos o cerramos posibilidades para nosotros mismos y, muchas veces, para otros.

El lenguaje de Dios. El padre celestial habla a través de la gracia, de la misericordia y de la esperanza. El habla vida. Nuestro padre celestial habla a través del amor y la paz, y de la fidelidad. Habla a través del gozo, la paciencia, de la bondad, de la amabilidad y la benignidad. Habla fe, ánimo. Él dice: tú puedes hacerlo; creo en ti. ¡Ahora ve! Jesucristo es el verbo hecho carne.

Dirigir el poder de la lengua.

En el Salmo 17.3, David dijo: "He resuelto que mi boca no haga transgresión." Resueltamente dirigió su lengua para alabar y adorar a Dios, e impactó así a las naciones.

Necesitamos hacer algo para dominar nuestra lengua. Tenemos que hablar sólo aquello que honra y no lo que deshonra. Hablar sólo lo que edifica y fortalece, lo que construye, no lo que destruye. Tenemos que hablar con propósito aunque parezca incorrecto o desentone. Hable fe y vida.

Muchas personas hablan palabras de muerte sobre su trabajo, sobre su vida, sobre sus negocios, sobre sus familias, sobre su matrimonio, y no logran entender por qué no experimentan el crecimiento deseado. Somos responsables por cada palabra ineficaz y estéril que sale de nuestra boca porque estas no producen fruto.

**Somos responsables por cada palabra ineficaz
y estéril que sale de nuestra boca
porque estas no producen fruto.**

Hablamos todo el tiempo. La pregunta es, ¿está usted hablando vida o está hablando muerte? ¿Habla bendición o maldición? ¿Habla palabras que no tienen valor, palabras ociosas, vanas, que no benefician a nadie? ¿O habla la palabra de Dios que es beneficiosa a todos? Honramos a las demás personas cuando proclamamos vida sobre ellos a través de una palabra de aliento. Recordemos que "La muerte y la vida están en poder de la lengua." Proverbios 18:21a.

La importancia de lo que habla es crucial porque sus acciones siguen a sus palabras. Aún más, no es cuestión de compromiso, de intentar tener éxito en la vida en cualquier cosa. O lo hace o no lo hace, y eso lo determina su boca.

Veamos ahora a través de un relato bíblico contenido en Génesis 41.39-45 la aplicación de la honra por medio de la palabra y de los hechos.

Las Palabras de Honra.

Para que una persona pueda operar en una posición y dimensión de autoridad determinada se le tiene que honrar con la proclamación en el mundo espiritual a ese nivel. Faraón proclama en el mundo espiritual la nueva condición de José en la cual deja de ser un esclavo, y un preso, para convertirse en el gobernador principal de Egipto.

"Y dijo el faraón a José: —Después de haberte dado a conocer Dios todo esto, no hay entendido ni sabio como tú." Génesis 41. 39.

Faraón reconoce la sabiduría de José, que proviene de Dios, y que no hay nadie tan entendido como José en Egipto. Tenía un lugar de preeminencia. Fue de lo más bajo a lo más alto. Experimentó un giro de 180 grados su vida en honra, en autoridad y en finanzas.

"Tú estarás sobre mi casa y por tu palabra se gobernará todo mi pueblo; solamente en el trono seré yo mayor que tú." Génesis 41. 40.

Faraón proclama en el mundo espiritual que José tenía desde ese momento autoridad para gobernar a Egipto, y la posición que ocuparía en rango. Hay que definir la autoridad y el rango que las personas tienen en el reino de Dios para liberar la unción que ellas tienen.

Hay que definir la autoridad y el rango que las personas tienen en el Reino de Dios para liberar la unción que ellas tienen.

"Dijo además el faraón a José: —Yo te he puesto sobre toda la tierra de Egipto." Génesis 41. 41. Faraón lo reafirma nuevamente a José como gobernador de todo Egipto. Muchas veces tenemos que reafirmar varias veces a las personas para que sepan, y acepten emocionalmente, su nueva posición.

Los hechos de honra.

Para que una persona pueda operar en una posición y dimensión de autoridad determinada se le tiene que honrar también con hechos en ese nivel.

"Entonces el faraón se quitó el anillo de su mano y lo puso en la mano de José; lo hizo vestir de ropas de lino finísimo y puso un collar de oro en su cuello." Génesis 41.42.

Lo honra con las insignias de autoridad.

Faraón le había dado a José el título de gobernador de Egipto por medio de la palabra, y ahora estaba confirmando con hechos esa investidura con estas insignias de autoridad: El anillo con sello, usado para firmar documentos públicos, y su impresión era más válido que la firma del rey. Faraón se quita su anillo y lo coloca en la mano de José. Cuando te quitas algo de valor para honrar a alguien, lo que realmente estás haciendo es colocarlo en una posición más alta, y liberando los recursos de ese nivel.

El khelaat, o vestido de honor, ropa de lino primorosamente trabajada. Llevada sólo por las personalidades más elevadas. Las vestiduras representan siempre la condición de dignidad que una persona tiene. Los uniformes militares, trajes de gala, o ropas pobres de los mendigos hablan mucho de la posición de la persona.

El collar de oro, era una divisa de rango y la forma lisa u ornamental indicaba el grado de rango y de dignidad de quien lo llevaba.

La honra con las cosas que requería para funcionar en la vida diaria.
"Lo hizo subir en su segundo carro, y pregonaban delante de él: «¡Doblad la rodilla!» Así quedó José sobre toda la tierra de Egipto." Génesis 41.43.

La honra con el carruaje. Le confiere no un carruaje, sino el privilegio de andar en la segunda posición de estado. Las cosas muchas veces representan los niveles de fe en la cual nosotros operamos.

La honra con una nueva ciudadanía. "Pregonaron delante de él: doblad la rodilla, y lo puso sobre toda la tierra de Egipto." La palabra Egipcia "abrech" no se refiere al acto de postrarse, sino que significa según algunos, "padre" o "príncipe nativo," o sea que lo proclamaba naturalizado, a fin de quitar toda aversión hacia él como extranjero.

La honra con una nueva identidad.
Zafnat-panea. Interpretado de varias maneras: "Revelador de secretos," "Salvador de la tierra," y por los jeroglíficos, "Hombre sabio huyendo de la contaminación," o sea, del adulterio.

"El faraón puso a José el nombre de Zafnat-panea, y le dio por mujer a Asenat, hija de Potifera, sacerdote de On. Así quedó José al frente de toda la tierra de Egipto." Génesis 41.45.

La honra con una nueva familia.

Su naturalización fue completada por una alianza con una familia de alta distinción en Egipto.

Todos hemos sido creados por el Señor
para ocupar una posición en la vida
y en el reino de Dios, la cual contiene
un nivel de honra en sí misma.

Todos hemos sido creados por el Señor para ocupar una posición en la vida y en el reino de Dios, la cual contiene un nivel de honra en sí misma. De igual modo contiene una unción que te capacita sobrenaturalmente para hacer lo que Dios te ha asignado. Pero estas no son automáticas, hay una secuencia para que se manifiesten:

Preparación, entrenamiento. José tuvo trece años de preparación como buen mayordomo manejando efectiva y fielmente asignaciones pequeñas en la casa de Potifar y en la cárcel antes de manejar una nación.

Formación del carácter. José maduró hasta desarrollar la unción de ser el segundo para honrar a los primeros en rango. Primero Potifar, luego el jefe de la cárcel, y finalmente Faraón.

Honra. Luego que una persona está preparada y su carácter formado, entonces Dios la pone en contacto con otras personas que la honran, y esta libera la sobreabundancia sobre ella. Dios utiliza a personas como Faraón para que eso ocurra.

José luego honró a su casa y su pueblo al llevarlos a vivir a lo mejor de Egipto, la tierra de Gosén, para cumplir así su propósito divino.

En estos tiempos el Señor está levantando en esta generación a personas como José para que honren a sus autoridades, para que aquellos reciban honra también, y por medio de esto honren a toda su familia, y por consiguiente a Dios mismo.

PREGUNTAS PARA LA DISCUSIÓN
LA HONRA CON LAS PALABRAS Y LOS HECHOS

1. ¿Por qué crees tú que el uso que le damos a nuestra boca es algo muy importante para Dios?

_____

_____

_____

2. ¿Por qué el lenguaje no sólo nos permite hablar sobre las cosas sino que también hace que ellas sucedan?

_____

_____

_____

3. ¿Por qué no es suficiente honrar a una persona con las palabras sino también con los hechos?

_____

_____

_____

4. La posición que tenemos en la vida y en el reino de Dios tiene un nivel de honra en sí misma. ¿Por qué crees tú que es así?

_____

_____

5. Explica, ¿Cómo el Señor nos honró con palabras y hechos a los creyentes?

_____

_____

_____

Capítulo 12

LOS SIMBOLOS
DE LA HONRA

"A fin de exaltarte sobre todas las naciones que hizo, para loor, fama y gloria, y para que seas un pueblo consagrado a Jehová, tu Dios, como él ha dicho." Deuteronomio 26.19.

Dios está hablando en este versículo bíblico de honrarnos a nosotros como Su pueblo. Entonces, vamos a ver en este capítulo que Dios diseñó formas para que los seres humanos pudiéramos ser honrados por otros como parte de la vida en Su reino.

1 Samuel 2.30b lee "...yo honraré a los que me honran, y los que me desprecian serán tenidos en poco." Como vemos en este pasaje la honra es muy importante para Dios.

"En lugar de vuestra doble vergüenza y de vuestra deshonra, os alabarán en sus heredades; por lo cual en su tierra poseerán doble porción y tendrán perpetuo gozo." Isaías 61.7. Dios nos promete que tendremos doble honra.

El problema ha sido que en la iglesia no se ha enseñado a honrar a los creyentes, siendo que la honra es un principio fundamental por el cual opera el Reino de Dios.

Romanos 13.7 lee, "Honra al que honra merece." Como creyentes nos debemos el reconocimiento mutuo. El problema ha sido que en la iglesia no se ha enseñado a honrar a las personas, siendo que la honra es un principio fundamental por el cual opera el reino de Dios. Esto posiblemente es porque sienten temor de que las personas se vuelvan orgullosas o porque viven en falsa humildad. La honra es un principio fundamental de cómo opera el reino de Dios.

Vestiduras de Honra.

Las vestiduras pomposas de los reyes, las ceremoniales del sacerdocio, el traje del campesino o las viles del leproso caracterizaban a quienes las utilizaban. Pero en la vida de Israel el vestido no sólo identificaba al profeta sino que iba más allá. Con las ropas Dios mostraba la importancia de los significados, los colores, las texturas y los diseños tenían su razón de ser y su respectiva integración y explicación en el culto de Israel. "Harás vestiduras sagradas a Aarón, tu hermano, que le den honra y hermosura." Éxodo 28.2. Las vestiduras del sacerdote representaban la dignidad y autoridad con la cual eran investidos pero también Dios quería que representaran algo más: la hermosura y la honra. Por ejemplo los trajes militares son muy hermosos y vistosos.

En Ester 6. 6-11, Mardoqueo es honrado con unas vestiduras especiales. "Entró, pues, Amán, y el rey le preguntó: — ¿Qué debe hacerse al hombre a quien el rey quiere honrar? Amán dijo en su corazón: «¿A quién deseará el rey honrar más que a mí?» Respondió, pues, Amán al rey: —Para el hombre cuya honra desea el rey, traigan un vestido real que el rey haya usado y un caballo en que el rey haya cabalgado, y pongan en su cabeza una corona real; den luego el vestido y el caballo a alguno de los príncipes más nobles del rey, vistan a aquel hombre que el rey desea honrar, llévenlo en el caballo por la plaza de la ciudad y pregonen delante de él: "Así se hará al hombre que el rey desea honrar." Entonces el rey dijo a Amán:—Date prisa, toma el vestido y el caballo, como tú has dicho, y hazlo así con el judío Mardoqueo, que se sienta a la puerta real; no omitas nada de todo lo que has dicho. Amán tomó el vestido y el caballo, vistió a Mardoqueo, lo condujo a caballo por la plaza de la ciudad e hizo pregonar delante de él: «Así se hará al hombre que el rey desea honrar.»

"Al contrario, vestíos del Señor Jesucristo y no satisfagáis los deseos de la carne." Romanos 13.14. Las vestiduras de máxima honra que podemos tener es vestirnos del Señor Jesucristo pues el recibió de su padre celestial la máxima honra dada a alguien después que venció a la muerte en la cruz del calvario.

Comidas de Honra.

1 Samuel 9. 22-24. Samuel preparó una porción especial, una espaldilla, para Saúl y con esto estaba representando un acto de honor al que sería el futuro rey de Israel.

"Entonces Samuel tomó a Saúl y a su criado, los introdujo a la sala y les dio un lugar a la cabecera de los convidados, que eran unos treinta hombres. Después dijo Samuel al cocinero:—Trae acá la porción que te di, la que te dije que guardaras aparte. Entonces alzó el cocinero una espaldilla, con lo que estaba sobre ella, y la puso delante de Saúl. Y Samuel dijo:—Aquí tienes lo que estaba reservado; ponlo delante de ti y come, porque para esta ocasión se te guardó, cuando dije: "Yo he convidado al pueblo." Saúl comió aquel día con Samuel."

Mateo 26. 26-29. La última cena fue preparada por el

Señor Jesucristo como un acto de honor a sus discípulos y para todos los que en el futuro la tomaríamos, recordando su muerte y su resurrección.

"Mientras comían, tomó Jesús el pan, lo bendijo, lo partió y dio a sus discípulos, diciendo: —Tomad, comed; esto es mi cuerpo. Y tomando la copa, y habiendo dado gracias, les dio, diciendo: —Bebed de ella todos, porque esto es mi sangre del nuevo pacto que por muchos es derramada para perdón de los pecados. Os digo que desde ahora no beberé más de este fruto de la vid hasta aquel día en que lo beba nuevo con vosotros en el reino de mi Padre."

Apocalipsis 19. 7-9. La cena de las bodas del cordero será un acto de gozo, de especial honra, para todos aquellos que seamos invitados a la misma. "Gocémonos, alegrémonos y démosle gloria, porque han llegado las bodas del Cordero y su esposa se ha preparado. Y a ella se le ha concedido que se vista de lino fino, limpio y resplandeciente, porque el lino fino es las acciones justas de los santos. El ángel me dijo: «Escribe: "Bienaventurados los que son llamados a la cena de las bodas del Cordero."» Y me dijo: «Éstas son palabras verdaderas de Dios.»

Corona de Honra.

El Diccionario Bíblico Cristiano define corona como "tocado ornamental usado como símbolo de autoridad y de honor." "Porque le has salido al encuentro con bendiciones de bien; corona de oro fino has puesto sobre su cabeza." Salmo 21:3. Las coronas de los reyes hebreos, presumiblemente estaban hechas de oro.

"Después quitó la corona de la cabeza de su rey, la cual pesaba un talento de oro y tenía piedras preciosas. Luego la pusieron sobre la cabeza de David, quien sacó muy grande botín de la ciudad." 2 Samuel 12:30. Según esta porción bíblica tal vez estaban decoradas con piedras preciosas.

En lenguaje metafórico, la corona también es cualquier cosa que sea una recompensa o una causa justificada de orgullo.

"Aquel día, Jehová de los ejércitos será por corona de gloria y diadema de hermosura para el resto de su pueblo." Isaías 28:5

"Así que, hermanos míos amados y deseados, gozo y corona mía, estad así firmes en el Señor, amados." Filipenses 4:1

"Bienaventurado el hombre que soporta la tentación, porque cuando haya resistido la prueba, recibirá la corona de vida que Dios ha prometido a los que lo aman." Santiago 1:12

"No temas lo que has de padecer. El diablo echará a algunos de vosotros en la cárcel para que seáis probados, y tendréis tribulación por diez días. ¡Sé fiel hasta la muerte y yo te daré la corona de la vida!" Apocalipsis 2:10.

"La mujer virtuosa es corona de su marido, pero la mala es como carcoma en sus huesos." Proverbios 12. 4. La mujer es el orgullo del hombre.

"Corona de honra es la vejez que se encuentra en el camino de la justicia." Proverbios 16.31. Aquí la vejez es mostrada como símbolo de honra.

"Corona de los viejos son los nietos y honra de los hijos son sus padres." Proverbios 17. 6. Aquí se presenta la corona como una honra especial, adicional, que recibe una persona.

Corona de sumo sacerdote. Emblema de cargo sacerdotal. Consistía de una placa de oro inscripta con la frase: "Santidad a Yahweh". Se usaba sobre la mitra, pero no se sabe qué forma tenía.

"Pondrás la mitra sobre su cabeza, y sobre la mitra pondrás la diadema santa." Éxodo 29:6

"También puso la mitra sobre su cabeza, y encima de la mitra, en la frente, puso la lámina de oro, la diadema santa, como Jehová había mandado a Moisés." Levítico 8:9.

"Lo vistieron de púrpura, le pusieron una corona tejida de espinas y comenzaron a saludarlo: ¡Salve, Rey de los judíos!" Marcos 15.17- 18. Corona de espinas. Tejido de espinos con que los soldados romanos martirizaron la cabeza de nuestro Señor Jesucristo.

Cinto de Honra, Mantos de Honra.

"Estad, pues, firmes, ceñida vuestra cintura con la verdad, vestidos con la coraza de justicia" Efesios 6. 14. La verdad es honra.

"Chlamus" en hebreo se traduce "Manto". La palabra hebrea "adrét" nos da el significado de algo amplio, como una vid grande, esplendor, capa, hermoso, poderoso, estruendo, fuerte, impetuoso, magnífico, noble, recio, valiente, y mayoral. El "adrét" se trataba de un manto que era llevado sobre el "chirón" o túnica común, pero sin mangas. Lo llevaban los sacerdotes, los reyes, emperadores, príncipes, magistrados, oficiales del ejército, personas de elevado rango y las mujeres. El manto era considerado como parte de la persona, representando su rango, autoridad y gobierno.

"Toma a Josué hijo de Nun, hombre en el cual hay espíritu, y pon tu mano sobre él. Preséntalo luego ante el sacerdote Eleazar y ante toda la congregación, y le darás el cargo en presencia de ellos. Pon parte de tu dignidad sobre él, para que toda la congregación de los hijos de Israel le obedezca." Números 27. 18-20. Aquí es usado el manto como símbolo de la transferencia de honra, gobierno y autoridad.

"Partió de allí Elías y halló a Eliseo hijo de Safat, que estaba arando. Delante de él iban doce yuntas de bueyes, y él conducía la última. Elías pasó ante él y echó sobre él su manto. Entonces dejó los bueyes, salió corriendo detrás de Elías y le dijo: Te ruego que me dejes besar a mi padre y a mi madre; luego te seguiré. Y él le dijo: Ve, regresa; ¿acaso te lo he impedido?" 1 Reyes 19.19-20. Aquí se usa el manto como símbolo de honra al ser llamado al ministerio.

"A ordenar que a los afligidos de Sión se les dé esplendor en lugar de ceniza, aceite de gozo en lugar de luto, manto de alegría en lugar del espíritu angustiado. Serán llamados árboles de justicia, plantío de Jehová", para gloria suya." Isaías 61.3.

"Los soldados entretejieron una corona de espinas y la pusieron sobre su cabeza, y lo vistieron con un manto de púrpura" Juan 19.2. Los soldados romanos vistieron al Señor con un manto de purpura. En el Imperio Romano la púrpura se producía en las tintorerías imperiales. En la Roma imperial las restricciones sobre el uso de la púrpura se incrementaron, y hacia el Siglo IV solamente el emperador podía usar púrpura. Los soldados romanos no se dieron cuenta de que queriendo burlarse del Señor, lo honraron, aún la mofa de la inscripción en la cruz le otorgaba su título de honra, con el cual millones de cristianos le celebrarían: "Jesús Cristo, Rey de los Judíos".

PREGUNTAS PARA LA DISCUSIÓN
LOS SÍMBOLOS DE LA HONRA

1. Para ti, ¿Qué consecuencias ha traído le hecho de que en la iglesia no se ha enseñado a honrar a los creyentes?

_____

_____

_____

_____

2. ¿Por qué las vestiduras pueden representar la honra con la cual una persona es investida?

_____

_____

_____

_____

3. ¿Por qué crees que la última cena fue preparada por el Señor Jesucristo como un acto de honor a sus discípulos y para todos los que en el futuro lo seríamos?

_____

_____

_____

_____

4. Explica ¿Cuáles serían las coronas de honra en tu vida?

_____

_____

_____

_____

5. ¿Cuál es el manto de honor que te diferencia a ti de los demás?

_____

_____

_____

6. ¿Cuáles son los símbolos de honra que usarás para honrar a aquellas personas que han sido los instrumentos usados por Dios para bendecir tu vida?

_____

_____

_____

7. ¿Cuáles serán los símbolos de honra que usarás para honrar aquellas personas que han fallado y deseas restaurar?

_____

_____

_____

_____

Capítulo 13

LA HONRA
ANTECEDE A LA GRANDEZA

"Samuel tomó el cuerno del aceite y lo ungió (a David) en medio de sus hermanos. A partir de aquel día vino sobre David el Espíritu de Jehová. Se levantó luego Samuel y regresó a Ramá." 1 Samuel 16. 13.

El acto de honra ante su familia.

David fue ungido como rey a los dieciséis años lo cual significaba que Dios lo estaba honrando con una posición y autoridad especial para cumplir con una asignación divina.

El proceso de formación.

Pero en una casa grande, no solamente hay utensilios de oro y de plata, sino también de madera y de barro; y unos son para usos honrosos, y otros para usos viles. Así que, si alguno se limpia de estas cosas, será instrumento para honra, santificado, útil al Señor, y dispuesto para toda buena obra. 2 Timoteo 2. 20-21

Una casa grande es sinónimo del reino de Dios. "Si alguno se limpia de estas cosas" es símbolo de proceso, la casa es un lugar de proceso. Los hijos de Dios son procesados por el para que puedan ser utensilios de honra en esta tierra.

Somos hijos con un designio divino sobre nosotros y que tenemos que cumplir durante nuestra vida para honrar a nuestro padre celestial y formar parte de su reino.

Un hijo de honra es aquel que cumple con el designio que su padre diseñó para él y al hacerlo honra a la fuente de dónde provino y forma parte de un plan trazado con anterioridad. Nuestro padre celestial ya trazo un plan que nosotros sus hijos debemos cumplir a cabalidad.

Hay utensilios diferentes que fueron designados para tener usos diferentes pero con un mismo fin: honrar al padre celestial. Cada utensilio tiene un propósito. Cada utensilio puede ser usado de manera diferente para ser útil.

Los hijos de honra han pasado por un proceso que los ha limpiado de muchas cosas (como heridas, resentimientos, enojos, pecado, avaricia, maldad, envidia, etc) y están listos para honrar a su padre celestial.

Aunque David fue ungido como rey a los dieciséis años de edad, no se sentó en el trono de todo Israel sino hasta que tuvo treinta años. Durante todos esos años Dios lo sometió a un largo proceso de formación del carácter que un rey futuro requeriría. Un rey de acuerdo a los estándares de Dios, no de los hombres.

Honrar a las personas que nos hacen el bien o nos ayudan a crecer. Pero durante este proceso, David tuvo que aprender dos cosas:

1. **A honrar a sus autoridades**
2. **A honrar a Dios**

Honrar a sus autoridades.

Cuando fue ungido como rey por el profeta Samuel tuvo que servir a un rey malvado, inmaduro, impaciente llamado Saúl, pero David se negó a deshonrarlo. Se sometió a su autoridad y lo honró de todo corazón.

David pudo haber hablado en su contra pero no lo hizo. Sin embargo, algunos cristianos hablan en contra de sus jefes en sus trabajos, o de sus autoridades en el gobierno, o de sus líderes en la iglesia, y así esperan que el Señor les prospere y les promocione. No lo hará; eso va en contra de su palabra, pues es deshonra.

Dios probó a David y lo entrenó en sus días de juventud para que aprendiera a gobernar. Las personas que ejercen dominio son aquellas que aprenden el principio de la honra, los demás ejercen una autoridad ilegítima.

Las personas que ejercen dominio son aquellas que aprenden el principio de la honra, los demás ejercen una autoridad ilegítima.

---

1 Samuel 18. 10-14. "10 Aconteció al otro día, que un espíritu malo de parte de Dios tomó a Saúl, y él desvariaba en medio de la casa. David tocaba con su mano como los otros días; y tenía Saúl la lanza en la mano.11 Y arrojó Saúl la lanza, diciendo: Enclavaré a David a la pared. Pero David lo evadió dos veces. 12 Mas Saúl estaba temeroso de David, por cuanto Jehová estaba con él, y se había apartado de Saúl; 13 por lo cual Saúl lo alejó de sí, y le hizo jefe de mil; y salía y entraba

delante del pueblo. 14 Y David se conducía prudentemente en todos sus asuntos, y Jehová estaba con él".

David se sometió a un rey con el cual no estaba de acuerdo. Dios sabía que si este jovencito podía someterse a alguien con quien no coincidía, tendría que hacerlo por tributarle honra. Y Dios sabía que David lo iba a hacer. En la milicia, todos los militares tienen que rendirles honra a sus superiores aunque no estén de acuerdo con ellos.

1 Samuel 24. 3-7. "3 Y cuando llegó a un redil de ovejas en el camino, donde había una cueva, entró Saúl en ella para cubrir sus pies; y David y sus hombres estaban sentados en los rincones de la cueva. 4 Entonces los hombres de David le dijeron: He aquí el día de que te dijo Jehová: He aquí que entrego a tu enemigo en tu mano, y harás con él como te pareciere. Y se levantó David, y calladamente cortó la orilla del manto de Saúl. 5 Después de esto se turbó el corazón de David, porque había cortado la orilla del manto de Saúl. 6 Y dijo a sus hombres: Jehová me guarde de hacer tal cosa contra mi señor, el ungido de Jehová, que yo extienda mi mano contra él; porque es el ungido de Jehová. 7 Así reprimió David a sus hombres con palabras, y no les permitió que se levantasen contra Saúl. Y Saúl, saliendo de la cueva, siguió su camino".

David tenía todo el derecho para desobedecer a Saúl porque lo estaba buscando para matarlo, sin embargo decidió no hacerlo. Con eso demostró que era un hombre de honor y que en el futuro se le podía confiar un reino.

Su primera prueba fue responder a un rey que tenía problemas de integridad personal además de muchos otros. David le dio honor y se sometió a él, lo que significa que paso la prueba. Si podía someterse a un rey con tales fallas, ciertamente se podía confiar en que se sometería y honraría al Rey de reyes y Señor de señores.

Honrar a Dios.

1 Samuel 30. 8. "David consultó al Señor" Esto se repite muchas veces en 1 y 2 de Samuel. David lo consultaba por todo. "Dios, ¿Qué piensas tú? ¿Debo atacar ahora, o debo esperar? ¿Debo ir allá? ¿Debería ir al norte o al sur?" Y Dios le mostraba exactamente lo que debía hacer, y sus enemigos eran derrotados.

¿Por qué consultaba a Dios tan frecuentemente? Para hónralo como el creador de todo. Cuando tus consultas a tus autoridades espirituales, no es porque eres incapaz o no eres inteligente, sino porque operas en un principio de reino llamado la honra, y eso te prepara para asumir en el futuro grandes cosas que Dios pondrá en tus manos.

David, al someterse a Saúl como su autoridad, se estaba sometiendo a Dios para honrarlo. Además al consultarle todo lo estaba honrando como Dios poderoso. David no actuaba independientemente, sino sujeto a Dios y a sus autoridades porque era un hombre que había aprendido el principio de la grandeza: la honra.

José honró a Dios, a su padre en Canaán, a Potifar en su casa, al jefe de la cárcel, a Faraón y finalmente a su pueblo Israel.

Proverbios 22.4. "La honra sale de un corazón humilde, la deshonra de un corazón desagradecido."

Aquel que vive bajo un principio de honra expresa las verdaderas motivaciones de su corazón y sabe ser agradecido con quienes están en autoridad sobre su vida y honran a Dios.

La honra es un principio que Dios quiere desarrollar en sus hijos para poder asignarles aquello que los va a llevar a la grandeza.

PREGUNTAS PARA LA DISCUSIÓN
LA HONRA ANTECEDE A LA GRANDEZA

1. ¿Por qué crees tú que la honra antecede a la grandeza?

_____

_____

_____

2. ¿Por qué crees tú que David se negó a hablar mal del rey Saúl?

_____

_____

_____

3. David tuvo oportunidades de matar a Saúl pero sin embargo no lo hizo. ¿Qué crees tú que hubiera pasado si David lo hubiera matado?

_____

_____

_____

4. ¿Por qué a las personas de honra Dios les encomienda grandes asignaciones?

_____

_____

_____

Capítulo 14

LA HONRA
EVITA LA DESTRUCCIÓN

"Y oyó David en el desierto que Nabal esquilaba sus ovejas. Entonces envió David diez jóvenes y les dijo: Subid a Carmel e id a Nabal, y saludadle en mi nombre, y decidle así: Sea paz a ti, y paz a tu familia, y paz a todo cuanto tienes. He sabido que tienes esquiladores. Ahora, tus pastores han estado con nosotros; no les tratamos mal, ni les faltó nada en todo el tiempo que han estado en Carmel. Pregunta a tus criados, y ellos te lo dirán. Hallen, por tanto, estos jóvenes gracia en tus ojos, porque hemos venido en buen día; te ruego que des lo que tuvieres a mano a tus siervos, y a tu hijo David. Cuando llegaron los jóvenes enviados por David, dijeron a Nabal todas estas palabras en nombre de David, y callaron. Y Nabal respondió a los jóvenes enviados por David, y dijo: ¿Quién es David, y quién es el hijo de Isaí? Muchos siervos hay hoy que huyen de sus señores. ¿He de tomar yo ahora mi pan, mi agua, y la carne que he preparado para mis esquiladores, y darla a hombres que no sé de dónde son? Y los jóvenes que había enviado David se volvieron por su camino, y vinieron y dijeron a David todas estas palabras." 1 Samuel 25. 4-12.

**Donde no existe la honra todo está condenado
a la destrucción a través del tiempo.**

En esta porción de la palabra podemos ver que donde no existe la honra todo está condenado a la destrucción. Nabal con su respuesta áspera a los enviados por David realiza un acto de deshonra a David y a sus hombres.

¿Cuál fue la reacción?

"Y David había dicho: Ciertamente en vano he guardado todo lo que éste tiene en el desierto, sin que nada le haya faltado de todo cuanto es suyo; y él me ha vuelto mal por bien. Así haga Dios a los enemigos de David y aun les añada, que de aquí a mañana, de todo lo que fuere suyo no he de dejar con vida ni un varón." 1 Samuel 25. 21 y 22.

David se ofende y decide destruir toda la casa de Nabal por el insulto que éste le hizo al deshonrar toda la ayuda que él le había proporcionado por el camino a sus pastores, por devolver mal por el bien recibido.

La deshonra tiene el poder de destruir las relaciones de amistad, los negocios, los matrimonios, y todo lo que tenga que ver con relaciones humanas porque activa sentimientos como el enojo, la ira, el resentimiento y la venganza.

El reporte del daño causado.

"Pero uno de los criados dio aviso a Abigail mujer de Nabal, diciendo: He aquí David envió mensajeros del desierto que saludasen a nuestro amo, y él los ha zaherido.

Y aquellos hombres han sido muy buenos con nosotros, y nunca nos trataron mal, ni nos faltó nada en todo el tiempo que anduvimos con ellos, cuando estábamos en el campo.

Muro fueron para nosotros de día y de noche, todos los días que hemos estado con ellos apacentando las ovejas. Ahora, pues, reflexiona y ve lo que has de hacer, porque el mal está ya resuelto contra nuestro amo y contra toda su casa; pues él es un hombre tan perverso, que no hay quien pueda hablarle." 1 Samuel 25. 14-17.

Uno de los criados se dio cuenta del peligro que corría la casa de Nabal porque al que habían ofendido era a un hombre de guerra el cual muy seguramente se vengaría de Nabal por la deshonra sufrida.

La toma de acción.

"Entonces Abigail tomó luego doscientos panes, dos cueros de vino, cinco ovejas guisadas, cinco medidas de grano tostado, cien racimos de uvas pasas, y doscientos panes de higos secos, y lo cargó todo en asnos. Y dijo a sus criados: Id delante de mí, y yo os seguiré luego; y nada declaró a su marido Nabal." 1 Samuel 25.18 y 19.

Abigail toma en forma acertada una acción para reparar el daño causado por su esposo Nabal ante David y sus hombres. Ella planeaba hacer lo contrario a lo que su esposo hizo.

Solo la honra puede revertir el efecto de la deshonra.

"Y montando un asno, descendió por una parte secreta del monte; y he aquí David y sus hombres venían frente a ella, y ella les salió al encuentro." 1 Samuel 25.20.

El atajo secreto para revertir el daño que causa la deshonra es la honra. Los víveres no hubieran surtido ningún efecto si la intención genuina de Abigail no hubiera sido honrar a David. Las cosas materiales no honran a nadie, son las personas que las dan lo que lo hacen. La honra tiene que ser genuina para que la otra persona la pueda sentir y recibir. De esa forma se cierra el ciclo.

La honra tiene que ser genuina para que la otra persona la pueda sentir y recibir.

Abigail honro a David con palabras y hechos.

"Y cuando Abigail vio a David, se bajó prontamente del asno, y postrándose sobre su rostro delante de David, se inclinó a tierra; y se echó a sus pies, y dijo: Señor mío, sobre mí sea el pecado; más te ruego que permitas que tu sierva hable a tus oídos, y escucha las palabras de tu sierva. No haga caso ahora mi señor de ese hombre perverso, de Nabal; porque conforme a su nombre, así es. Él se llama Nabal, y la insensatez está con él; mas yo tu sierva no vi a los jóvenes que tú enviaste. Ahora pues, señor mío, vive Jehová, y vive tu alma, que Jehová te ha impedido el venir a derramar sangre y vengarte por tu propia mano. Sean, pues, como Nabal tus enemigos, y todos los que procuran mal contra mi señor. Y ahora este presente que tu sierva ha traído a mi señor, sea dado a los hombres que siguen a mi señor." 1 Samuel 25. 23-27.

Abigail expresa palabras sinceras de disculpas a David por la ofensa causada por su esposo Nabal. Abigail honró a David como rey, no como a un hombre común. Mientras más elevada es la honra más profundo es su impacto en el mundo espiritual. Si la honra no es genuina aumenta más el enojo de la persona ofendida. Luego Abigail respaldo sus palabras con hechos, con un presente.

Mientras más elevada es la honra más profundo es su impacto en el mundo espiritual.

La dimensión sobrenatural de la honra.

"Y yo te ruego que perdones a tu sierva esta ofensa; pues Jehová de cierto hará casa estable a mi señor, por cuanto mi señor pelea las batallas de Jehová, y mal no se ha hallado en ti en tus días. Aunque alguien se haya levantado para perseguirte y atentar contra tu vida, con todo, la vida de mi señor será ligada en el haz de los que viven delante de Jehová tu Dios, y él arrojará la vida de tus enemigos como de en medio de la palma de una honda. Y acontecerá que cuando Jehová haga con mi señor conforme a todo el bien que ha hablado de ti, y te establezca por príncipe sobre Israel, entonces, señor mío, no tendrás motivo de pena ni remordimientos por haber derramado sangre sin causa, o por haberte vengado por ti mismo. Guárdese, pues, mi señor, y cuando Jehová haga bien a mi señor, acuérdate de tu sierva." 1 Samuel 25. 28-31.

La honra opera realmente en una dimensión espiritual.

Abigail comienza a profetizar de parte de Dios a David el futuro que le esperaba a él como rey. Abigail dice una de las cosas más interesantes en cuanto a David: "...la vida de mi señor será ligada en el haz de los que viven delante de Jehová tu Dios." Esa es exactamente la posición del creyente en Cristo Jesús. El apóstol Juan en su primera epístola llama a Cristo, "la vida eterna." Dice 1 Juan 1.2: "...porque la vida fue manifestada, y la hemos visto, y testificamos, y os anunciamos la vida eterna, la cual estaba con el Padre, y se nos manifestó." Cuando tú y yo, confiamos en Cristo Jesús como Salvador, Señor y Rey entonces, su Espíritu Santo nos hace formar parte de su cuerpo y de la vida eterna.

¿Cuál es la respuesta a la honra?

"Y dijo David a Abigail: Bendito sea Jehová Dios de Israel, que te envió para que hoy me encontrases. Y bendito sea tu razonamiento, y bendita tú, que me has estorbado hoy de ir a derramar sangre, y a vengarme por mi propia mano. Porque vive Jehová Dios de Israel que me ha defendido de hacerte mal, que si no te hubieras dado prisa en venir a mi encuentro, de aquí a mañana no le hubiera quedado con vida a Nabal ni un varón. Y recibió David de su mano lo que le había traído, y le dijo: Sube en paz a tu casa, y mira que he oído tu voz, y te he tenido respeto." 1 Samuel 25.32-35.

Se calmó la ira de David, el recibió el presente de Abigail y regresó a su campamento. Más aún, Abigail se ganó el respeto, la honra, de David. David estaba agradecido de esta mujer y de su sabiduría al impedirle que hiciera algo que le causaría dolor y remordimiento más adelante.

¿Cuál es la paga de la honra?

"Y Abigail volvió a Nabal, y he aquí que él tenía banquete

en su casa como banquete de rey; y el corazón de Nabal estaba alegre, y estaba completamente ebrio, por lo cual ella no le declaró cosa alguna hasta el día siguiente. Pero por la mañana, cuando ya a Nabal se le habían pasado los efectos del vino, le refirió su mujer estas cosas; y desmayó su corazón en él, y se quedó como una piedra. Y diez días después, Jehová hirió a Nabal, y murió." 1 Samuel 25.36-38.

Las personas que deshonran sufren consecuencias que destruyen y causan muerte en sus proyectos, sus relaciones, sus finanzas y hasta físicamente. Nabal habló y actuó mal deshonrando al ungido de Dios y eso se revirtió contra él porque la mano de Dios operó en su contra.

La honra es poderosa para edificar
pero la deshonra es poderosa para destruir.

¿Cuál es la paga de la honra?

"Luego que David oyó que Nabal había muerto, dijo: Bendito sea Jehová, que juzgó la causa de mi afrenta recibida de mano de Nabal, y ha preservado del mal a su siervo; y Jehová ha vuelto la maldad de Nabal sobre su propia cabeza. Después envió David a hablar con Abigail, para tomarla por su mujer. Y los siervos de David vinieron a Abigail en Carmel, y hablaron con ella, diciendo: David nos ha enviado a ti, para tomarte por su mujer. Y ella se levantó e inclinó su rostro a tierra, diciendo: He aquí tu sierva, que será una sierva para lavar los pies de los siervos de mi señor. Y levantándose luego Abigail con cinco doncellas que le servían, montó en un asno y siguió a los mensajeros de David, y fue su mujer." 1 Samuel 25.39-42.

Abigail se unió al destino de David a través de un acto de honra sincero hacia él. De la misma manera, Abigail fue promovida y tratada como reina. En la antigüedad solamente a los reyes se les transportaba montado en un asno a la vista de todos seguidos por su cortejo. Esto era señal de prominencia. Seguramente la gente se inclinaba ante Abigail en su regreso a David. La honra opera en una dimensión sobrenatural de reino que une a personas y les posiciona para grandes propósitos en Dios.

La honra opera en una dimensión sobrenatural de reino que une a personas y les posiciona para grandes propósitos en Dios.

La honra tiene un efecto en el mundo espiritual para construir, edificar y solidificar relaciones, proyectos, economía, y otras muchas áreas de la vida. Mientras que la deshonra tiene el poder de la destrucción en sí misma.

PREGUNTAS **PARA LA DISCUSIÓN**
LA HONRA EVITA LA DESTRUCCIÓN

1. ¿Por qué crees tú que donde no existe la honra todo está condenado a la destrucción a través del tiempo?

_____

_____

2. ¿Por qué la honra es lo que puede revertir el daño causado por la deshonra?

_____

_____

3. ¿Por qué el dar honra debe hacerse de forma genuina?

_____

_____

4. ¿Por qué mientras más elevada es la honra más profundo es su impacto en el mundo espiritual?

_____

_____

5. ¿Por qué la honra opera en una dimensión espiritual?

_____

_____

6. ¿Por qué la honra tiene el poder de crear relaciones sólidas para llevar propósitos en común?

_____

_____

_____

Capítulo 15

RELATOS DE HONRA
Y DESHONRA EN LA BIBLIA

Ruth, una mujer de honra.

"Entonces Booz dijo a Rut: Oye, hija mía, no vayas a espigar a otro campo, ni pases de aquí; y aquí estarás junto a mis criadas. Mira bien el campo que sieguen, y síguelas; porque yo he mandado a los criados que no te molesten. Y cuando tengas sed, ve a las vasijas, y bebe del agua que sacan los criados. Ella entonces bajando su rostro se inclinó a tierra, y le dijo: ¿Por qué he hallado gracia en tus ojos para que me reconozcas, siendo yo extranjera? Y respondiendo Booz, le dijo: He sabido todo lo que has hecho con tu suegra después de la muerte de tu marido, y que dejando a tu padre y a tu madre y la tierra donde naciste, has venido a un pueblo que no conociste antes. Jehová recompense tu obra, y tu remuneración sea cumplida de parte de Jehová Dios de Israel, bajo cuyas alas has venido a refugiarte. Y ella dijo: Señor mío, halle yo gracia delante de tus ojos; porque me has consolado, y porque has hablado al corazón de tu sierva, aunque no soy ni como una de tus criadas." Ruth 2. 8-13.

Ruth muestra que el principio de la honra es un pilar fundamental para vivir bajo la gracia de Dios.

Ruth honró a su esposo.

"Y murió Elimelec, marido de Noemí, y quedó ella con sus dos hijos, los cuales tomaron para sí mujeres moabitas; el nombre de una era Orfa, y el nombre de la otra, Rut; y habitaron allí unos diez años. Y murieron también los dos, Mahlón y Quelión, quedando así la mujer desamparada de sus dos hijos y de su marido." Ruth 1.3-5.

Ruth estuvo casada por diez años con Mahlón quien era de Belén de Judá. A pesar de eso se casó con una extranjera por haber emigrado a causa del hambre que había en el país. Su relación tuvo que haber sido muy buena y posiblemente él le enseñó a amar a Dios y sus preceptos. La insertó en una nueva cultura y una nueva creencia.

Ruth honró a su suegra.

"Y Noemí dijo: He aquí tu cuñada se ha vuelto a su pueblo y a sus dioses; vuélvete tú tras ella. Respondió Rut: No me ruegues que te deje, y me aparte de ti; porque a dondequiera que tú fueres, iré yo, y dondequiera que vivieres, viviré. Tu pueblo será mi pueblo, y tu Dios mi Dios. Donde tú murieres, moriré yo, y allí seré sepultada; así me haga Jehová, y aún me añada, que sólo la muerte hará separación entre nosotras dos. Y viendo Noemí que estaba tan resuelta a ir con ella, no dijo más." Ruth 1.15-18.

Ruth decidió no abandonar a su suegra sino a honrarla y ayudarla a sobrevivir. Para ese tiempo histórico la mujer dependía casi totalmente de su marido. Ruth decidió sacrificar su propia vida para honrar a su suegra. Su relación con ella era como la de una hija.

Ruth honra a Booz.

"Entonces Booz dijo a Rut: Oye, hija mía, no vayas a espigar a otro campo, ni pases de aquí; y aquí estarás junto a mis criadas.

Mira bien el campo que sieguen, y síguelas; porque yo he mandado a los criados que no te molesten. Y cuando tengas sed, ve a las vasijas, y bebe del agua que sacan los criados. Ella entonces bajando su rostro se inclinó a tierra, y le dijo: ¿Por qué he hallado gracia en tus ojos para que me reconozcas, siendo yo extranjera?" Ruth 2.8-10.

Ella se inclinó ante Booz en señal de honra por la atención que Booz hizo hacia ella siendo una extranjera. La naturaleza de Ruth era de una mujer de honra por lo que recibía en la vida. Ruth nos está dando la clave de vivir una vida abundante en el reino de Dios: honrar al Señor por lo que hemos recibido de su parte; que apreciemos lo que hemos recibido de Él.

Agradecida a Dios.

"Jehová recompense tu obra, y tu remuneración sea cumplida de parte de Jehová Dios de Israel, bajo cuyas alas has venido a refugiarte." Ruth 2.12.

Booz profetiza sobre ella la bendición del Señor en quien ella se había ido a refugiar siendo extranjera y de creencia diferentes. Recordemos que Quemos se llamaba el dios de los Moabitas (Números 21:29; Jueces 11:24)

Noemí bendice a Dios.

"Y le dijo su suegra: ¿Dónde has espigado hoy? ¿Y dónde has trabajado? Bendito sea el que te ha reconocido. Y contó ella a su suegra con quién había trabajado, y dijo: El nombre del varón con quien hoy he trabajado es Booz. Y dijo Noemí a su nuera: Sea él bendito de Jehová, pues que no ha rehusado a los vivos la benevolencia que tuvo para con los que han muerto. Después le dijo Noemí: Nuestro pariente es aquel varón, y uno de los que pueden redimirnos." Ruth 2.19 y 20.

Noemí bendijo a Dios quien guió a Ruth a trabajar en el campo de Booz, su pariente, quien las podía redimir, lo cual era librar a alguien de una mala situación o dolor. Jesucristo redime a la humanidad del pecado. La naturaleza caída del ser humano tiende a la deshonra. Por eso al recibir una nueva naturaleza en Cristo la honra comienza a formar parte de esa nueva vida.

Booz se siente honrado por lo que Ruth hizo.

"Entonces él dijo: ¿Quién eres? Y ella respondió: Yo soy Rut tu sierva; extiende el borde de tu capa sobre tu sierva, por cuanto eres pariente cercano. Y él dijo: Bendita seas tú de Jehová, hija mía; has hecho mejor tu postrera bondad que la primera, no yendo en busca de los jóvenes, sean pobres o ricos. Ahora pues, no temas, hija mía; yo haré contigo lo que tú digas, pues toda la gente de mi pueblo sabe que eres mujer virtuosa." Ruth 3.9-11.

El hecho de acostarse a los pies descubiertos de un hombre y pedirle que extendiera el borde de su manto sobre ella, era una proposición de matrimonio en aquellos tiempos.

Los ancianos honran la unión de Booz con Ruth.

"Y dijeron todos los del pueblo que estaban a la puerta con los ancianos: Testigos somos. Jehová haga a la mujer que entra en tu casa como a Raquel y a Lea, las cuales edificaron la casa de Israel; y tú seas ilustre en Efrata, y seas de renombre en Belén. Y sea tu casa como la casa de Fares, el que Tamar dio a luz a Judá, por la descendencia que de esa joven te dé Jehová." Ruth 4.11-12.

Cuando Booz decide casarse con ella, los ancianos (autoridad) y el resto del pueblo la aceptaron plenamente, porque era una mujer de honra que se integraba a ellos. Le dieron la bendición profética sobre ella. La honra desata un destino profético sobre las personas. La honra había insertado a Ruth entre las respetadas mujeres de toda la nación.

Dios honra a Ruth.

"Booz, pues, tomó a Rut, y ella fue su mujer; y se llegó a ella, y Jehová le dio que concibiese y diese a luz un hijo. Y las mujeres decían a Noemí: Loado sea Jehová, que hizo que no te faltase hoy pariente, cuyo nombre será celebrado en Israel; el cual será restaurador de tu alma, y sustentará tu vejez; pues tu nuera, que te ama, lo ha dado a luz; y ella es de más valor para ti que siete hijos. Y tomando Noemí el hijo, lo puso en su regazo, y fue su aya. Y le dieron nombre las vecinas, diciendo: Le ha nacido un hijo a Noemí; y lo llamaron Obed. Este es padre de Isaí, padre de David." Ruth 4.14-17.

Dios honra a Ruth en la genealogía del rey David de quien llegaría a venir el Mesías anunciado: Cristo Jesús.

Rahab es honrada por esconder a los dos espías.

En Hebreos 11.31 leemos: "Por fe, Rahab la ramera, no pereció juntamente con los desobedientes, habiendo recibido a los espías en paz."

Rahab, probablemente, oiría del extraño pueblo que se estaba acercando a Jericó, por algunos mercaderes, gente que frecuentaba una casa como la suya. Por otra parte hemos visto que en el pueblo escogido el pecado era frecuente, había una murmuración constante. (Recordemos a María la hermana de Moisés, nada menos.) Recordemos también a Séfora, la esposa de Moisés. Incluso el mismo Aarón pecó en numerosas ocasiones. Entretanto, Dios tuvo compasión de esta mujer y le concedió su gracia. Es indudable que había centenares de mujeres incomparablemente más virtuosas en Jericó que Rahab. Todas ellas fueron pasadas por alto y el toque de gracia recayó sobre Rahab.

Es posible que la fe ya hubiera estado creciendo en su alma. Que hubiera oído de los milagros extraños que se realizaban entre aquel pueblo que peregrinaba por el desierto, cercano ya a Jericó. En este momento de su fe la visitaron dos representantes de Dios. Su entrada en la casa fue parte de la preparación para el camino de Dios en favor de su pueblo. Ahora la fe de Rahab se vuelve decisiva. Considera a sus visitantes como embajadores de Dios. Arriesga su vida por ellos. El peligro en que incurrió era grave en extremo. Sin embargo salva a aquellos dos hombres, no por simpatía humana, no porque le convino para su propia seguridad, sino porque habían sido enviados por el altísimo Dios.

Abre la ventana y hace descender un cordón de grana. Rahab cree, y su redención es segura. Dios la incorpora en la línea santa de su Hijo unigénito. Con ello Dios no aprueba los actos pecaminosos. Lo que hace es decirnos que Él es omnipotente y que puede redimir incluso al más pecador.

Después que cayeron los muros de Jericó y ella fue salvada, se casó con un príncipe de Israel. Por su fe, que nació cuando todavía vivía una vida de pecado, su nombre ha sido inmortalizado en el libro de Hebreos.

José honra a su amo Potifar.

"Y los madianitas lo vendieron en Egipto a Potifar, oficial del Faraón, capitán de los de la guardia." Génesis 37.36.

"Y vio su señor que el SEÑOR era con él, y que todo lo que él hacía, el SEÑOR lo hacía prosperar en su mano. Así halló

José gracia en sus ojos, y le servía; y él le hizo mayordomo de su casa, y entregó en su poder todo lo que tenía." Génesis 39.3-4.

Potifar estaba impresionado con el hecho de que Dios estaba con José y que todo lo que hacía, Dios lo prosperaba. Note que la prosperidad no es la señal que Potifar identifica en la vida de José, es la presencia de Dios. La presencia de Dios en la vida de José hizo que este hallara gracia a los ojos de Potifar. Como consecuencia lo hizo administrador de todos sus bienes.

"Y aconteció que, desde cuando le dio el encargo de su casa, y de todo lo que tenía, el SEÑOR bendijo la casa del egipcio a causa de José; y la bendición del SEÑOR fue sobre todo lo que tenía, así en casa como en el campo." Génesis 39.5.

Desde el día que Potifar entregó el liderato a José, Dios comenzó a prosperar todo lo que tenía Potifar. José pasa a ser la cabeza administrativa de toda la casa se Potifar. Desde su juventud, en casa de su padre Jacob, José comenzó a demostrar un talento en el área de la supervisión así como honestidad en su trabajo. Era un buen administrador.

"Y dejó todo lo que tenía en mano de José, y con él no se preocupaba de cosa alguna sino del pan que comía. Y era José de hermoso semblante y bella presencia. Aconteció después de esto, que la mujer de su señor alzó sus ojos sobre José, y dijo: Duerme conmigo." Génesis 39.6-7.

Una vez que José llega a la cima, el hombre más poderoso en la casa de Potifar, se expone a todos y se hace evidente que además de su buena apariencia, sus capacidades intelectuales son de primer orden. Sin embargo, la señora de la casa despierta su apetito sexual por José. Obviamente esta es una trampa de Satanás para detener el plan de Dios y evitar que venga el Mesías prometido (Génesis 3:15). Esta es otra trampa de muerte, como lo fue la primera. El diablo quería matar a José a como diera lugar. Si José se acostaba con la esposa de Potifar – la pena era la muerte.

José se niega a deshonrar a su amo.

"Y él no quiso, y dijo a la mujer de su amo: He aquí que mi señor no se preocupa conmigo de lo que hay en casa, y ha puesto en mi mano todo lo que tiene. No hay otro mayor que yo en esta casa, y ninguna cosa me ha reservado sino a ti, por cuanto tú eres su mujer, ¿cómo, pues, haría yo este grande mal y pecaría contra Dios?" Génesis 39.9.

La respuesta fue un NO. No hay duda de que la esposa de Potifar tenía que ser una mujer hermosa y atractiva. José demostró que se puede huir de las pasiones sexuales. El respondió: Si deseara tener alguna relación sexual, ninguna cosa se me ha reservado, puedo tomar a la doncella que quiera. Sin embargo, tu esposo fue claro conmigo, si deseas tener mujer la única que no puedes tomar es la mía. Cómo entonces yo voy a violar esta confianza; primero que nada es una ofensa a Dios y un ataque a Potifar.

La venganza de la esposa de Potifar.

"Entonces le habló ella semejantes palabras, diciendo: El siervo hebreo que nos trajiste, vino a mí para deshonrarme; y cuando yo alcé mi voz y grite, él dejó su ropa junto a mí, y huyó fuera. Y sucedió que cuando oyó su señor las palabras que su mujer le hablara, diciendo: Así me ha tratado tu siervo; se encendió su furor." Génesis 39.17-19.

La esposa de Potifar argumenta que José era quién la estaba acosando y que quería violarla. ¿Cuál es la evidencia que ella utiliza? La ropa que José dejó al salir corriendo. La consecuencia fue que José es enviado a prisión por muchos años. Sin embargo, el propósito de Dios se cumplió porque Él honró a José al llevarlo a convertirse en virrey de Egipto después de Faraón.

Es interesante esto pues como Potifar era un oficial de Faraón, capitán de la guardia real, eso nos hace suponer que José se convirtió en su jefe por el alto rango que ocupaba. Es posible también que en algún momento, quizás en una celebración o evento especial, Potifar tuviera que estar presente con su esposa y encontrarse nuevamente con José pero ahora ellos tendrían que rendirle honores como virrey.

Los creyentes que practican la honra
como un principio fundamental de Reino,
siempre serán honrados por Dios
en algún momento de sus vidas
y alcanzaran la grandeza.

Esaú deshonró su posición de primogénito dada por Dios.

"Y guisó Jacob un potaje; y volviendo Esaú del campo, cansado, dijo a Jacob: Te ruego que me des a comer de ese guiso rojo, pues estoy muy cansado. Por tanto fue llamado su nombre Edom. Y Jacob respondió: Véndeme en este día tu primogenitura. Entonces dijo Esaú: He aquí yo me voy a morir; ¿para qué, pues, me servirá la primogenitura? Y dijo

Jacob: Júramelo en este día. Y él le juró, y vendió a Jacob su primogenitura. Entonces Jacob dio a Esaú pan y del guisado de las lentejas; y él comió y bebió, y se levantó y se fue. Así menospreció Esaú la primogenitura." Génesis 25. 29-34.

Esaú en forma superficial menospreció su posición de ser el primogénito de su familia. Esta posición es concedida por Dios a cada persona que nace como el primero de su generación. La misma tiene un nivel de honra intrínseco por ser la persona que Dios ha designado para que abra camino a sus hermanos. Los primogénitos son los que abren matriz física pero también abren una nueva generación. Son la raíz, las primicias, de la nueva generación en el árbol genealógico familiar.

El impacto espiritual de los primogénitos es que marcan el rumbo generacional para sus otros hermanos. Como a los primogénitos se les ha asignado esa responsabilidad espiritual, por ello hay que consagrarlos a Dios para que dicha generación sea bendecida en un destino especial. Se les ha asignado la carga generacional y son el soporte espiritual de la nueva generación. Ellos no solo abren matriz física sino que también tendrán que abrir la brecha espiritual para el resto de la familia. Si es hijo único tendrá la responsabilidad completa por su generación.

Esta posición de privilegio fue la que deshonró Esaú y por eso continúo perdiendo otros privilegios en su vida. El mismo abrió la brecha espiritual para que eso ocurriera.

"Y él dijo: He aquí ya soy viejo, no sé el día de mi muerte. Toma, pues, ahora tus armas, tu aljaba y tu arco, y sal al campo y tráeme caza; y hazme un guisado como a mí me gusta, y tráemelo, y comeré, para que yo te bendiga antes que muera. Y Rebeca estaba oyendo, cuando hablaba

Isaac a Esaú su hijo; y se fue Esaú al campo para buscar la caza que había de traer." Génesis 27.2-5.

Sin embargo, esta conversación fue escuchada por su esposa Rebeca quien prefería a su otro hijo: Jacob. Ella trama un funesto plan para engañar a su esposo y a su hijo con el fin de favorecer a Jacob. El plan consistía en suplantar a su hermano y engañar a su padre para que le bendijera. Jacob le responde a su madre: "Esaú mi hermano es un hombre velludo, y yo soy lampiño." En esta respuesta es notable que los escrúpulos de Jacob se fundaron no en lo malo del acto sino en el riesgo y las consecuencias que le podría traer; entonces su madre Rebeca le contestó: "hijo mío, ¡que esa maldición caiga sobre mí!" Esto animó a Jacob a actuar como se lo pedía su madre.

El engaño funcionó e Isaac bendijo a Jacob con todo el contenido: espiritual, de responsabilidad familiar, de posición social, material, ya que los derechos de primogenitura le otorgaban el doble de la herencia familiar, y hasta profético, por lo que implicaba la misma hacia las siguientes generaciones. Esto produjo un profundo dolor en su hermano Esaú, y un gran resentimiento hacia Jacob. Tanto que juró vengarse y matarlo cuando su padre muriera.

La deshonra hace que una persona pueda ir perdiendo progresivamente sus privilegios.

Como podemos observar, si Esaú no hubiera abierto la brecha espiritual menospreciando su primogenitura posiblemente no hubiera perdido también su bendición. La deshonra hace que una persona pueda ir perdiendo progresivamente sus privilegios.

Absalón y la deshonra a su padre.

Absalón tenía un corazón cruel y perverso, así que tramó un plan para quitarle el trono a su padre David. Pasado algún tiempo, Absalón consiguió carros de combate, algunos caballos y una escolta de cincuenta soldados como si él fuera el rey. Se levantaba temprano y se ponía a la entrada del palacio. Cuando alguien iba a ver al rey para que le resolviera un pleito, Absalón lo llamaba y le preguntaba de qué se trataba su asunto y les decía: "Tu demanda es muy justa, pero no habrá quien te escuche de parte del rey". Y añadía: "Ojalá me escogieran por juez en el país. Todo el que tuviera un pleito o demanda vendría a mí, y yo le haría justicia". Además de esto, si alguien se le acercaba para inclinarse ante él, Absalón le tendía los brazos, lo abrazaba y lo saludaba con un beso como amigos. Así fue ganándose el cariño del pueblo, y así en todas partes de la tierra, deseaban que Absalón fuera el rey en vez de su padre David, ya que David no estaba entrometido en más guerras ni andaba mucho entre la gente. En vez, él vivía en su palacio y desde allí oía todo lo que estaba pasando.

Al cabo de cuatro años, Absalón pensó que podía quitarle el reino a David, y le dijo al rey: "Permítame ir a Hebrón para adorar al Señor y cumplir con una promesa que le hice cuando vivía en Guesur". Esto le agradó a David porque pensó que Absalón de verdad quería adorar a Dios. Así que Absalón se fue a Hebrón con una compañía de amigos, de los cuales muy pocos sabían lo que él estaba planeando. Ya llegado allí, mandó a llamar a un consejero muy sabio llamado Ajitofel, al cual David le tenía mucha confianza. De repente la noticia corría a través de la tierra que decía: "¡Absalón reina en Hebrón!" Los que sabían secretamente del plan de Absalón, comenzaron a divulgarlo entre la gente, de manera que parecía que todos estaban a favor de Absalón para que remplazara a David como rey. La noticia llegó a oídos de David en su palacio de que Absalón se había convertido en rey con muchos de sus dirigentes en su favor, y que el pueblo quería realmente a Absalón en lugar de él. David no sabía en quién confiar, y se escapó antes que fuera demasiado tarde. Se llevó con él sus oficiales que querían seguirlo, sus esposas, y especialmente a Betsabé con su pequeño Salomón.

La historia finaliza con la muerte de Absalón quien al verse perdido huyó entonces, su cabellera se enredó en un árbol y fue muerto por Joab, uno de los hombres de David. De esa forma David vuelve al trono. Dios honro a David como rey y la paga de la traición de Absalón fue la muerte por su deshonra.

La deshonra del hijo pródigo.

Consistió en que él prefirió las cosas materiales sobre la compañía e intimidad con su padre. No valoró la relación con su padre, por la compañía e intimidad que él le ofrecía. En vez de eso, el joven se convirtió en egoísta y comenzó a valorar a su padre por las cosas materiales que él pensaba le pertenecían. Eventualmente él rechazó totalmente toda relación con su padre y la intercambió por la parte de su herencia.

En la cultura de esos tiempos bíblicos, la herencia no podía venir al hijo sino hasta el momento de la muerte del padre. Entonces, al pedir su herencia anticipadamente, el hijo menor esencialmente estaba diciendo "Papa yo quisiera que te murieras." Un completo, y silencioso insulto, especialmente en ese tiempo. ¿Su padre no tuvo otro camino que darle lo que su hijo requería tempranamente? En realidad, con la ley judía de ese tiempo el padre podía darle solo algo mísero como un castigo por deshonrar a su padre. Pero este padre actuó diferente, aún antes de que su hijo se fuera. Él le dio a su hijo menor su herencia sin enojo ni juicio, a pesar de la avaricia y egoísmo de su hijo. Él realmente estaba perdonando a su hijo por su rebelión. Este padre utilizó el mismo acto de rebelión como un acto de perdón.

El fin de la historia la sabemos, el hijo pródigo despilfarró todo el dinero y aún terminó sin tener con qué comer. De esa forma toca fondo, vuelve en sí y se regresa a la casa de su padre arrepentido de su rebelión y de haberle deshonrado.

La deshonra mutua entre la reina Vasti y el rey Asuero.

En el libro de Ester encontramos el relato de esta historia. Ester 1.1: "Aconteció en los días de Asuero," el mismo Asuero que reinó desde la India hasta Etiopía sobre ciento veintisiete provincias, Asuero, también llamado Jerjes el Grande, fue el quinto rey de Persia (486-465 a.C.). Su palacio de invierno estaba en Susa, donde llevó a cabo el banquete descrito en los versículos 3-7. A menudo, antes de ir a la guerra, los reyes persas celebraban grandes banquetes. En el año 481, Asuero lanzó un ataque contra Grecia. Después de que su armada ganó una gran victoria en Termópilas, fue derrotado en Salamina en el 480 y tuvo que regresar a Persia. Ester comenzó su reinado en el 479 a.C.

"...que en aquellos días, cuando fue afirmado el rey Asuero sobre el trono de su reino, el cual estaba en Susa capital del reino, en el tercer año de su reinado hizo banquete a todos sus príncipes y cortesanos, teniendo delante de él a los más poderosos de Persia y de Media, gobernadores y príncipes de provincias," Ester 1.2-3.

El tercer año era el 482 a.C. Persia era el antiguo imperio que floreció desde el 539 al 331 a.C. Media era el nombre antiguo de la parte noroccidental del moderno Irán; era la más importante provincia de Persia. Las costumbres y las leyes de los medas se entrelazaban con las de los persas, y a muchos medos se les dieron posiciones de responsabilidad en el Imperio.

"...para mostrar él las riquezas de la gloria de su reino, el brillo y la magnificencia de su poder, por muchos días, ciento ochenta días." Ester 1.4.

La celebración duró ciento ochenta días (casi seis meses) debido a que su propósito verdadero era el de planear una estrategia de batalla para invadir Grecia y demostrar que el rey tenía suficientes riquezas para llevarla a cabo. La razón de librar una guerra no era solamente una cuestión de sobrevivencia, sino una manera de adquirir más riquezas, expandir el territorio y ganar mayor poder.

"Y cumplidos estos días, hizo el rey otro banquete por siete días en el patio del huerto del palacio real a todo el pueblo que había en Susa capital del reino, desde el mayor hasta el menor." Ester 1.5.

Los 180 días que duró el primer banquete fueron seguidos por otro, celebrado en el palacio, que se prolongó durante siete días adicionales, y al cual se le permitió asistir a los hombres de Susa.

Persia era una potencia mundial, y el rey, como centro de ese poder, era una de las personas más ricas del mundo. A los reyes persas les encantaba hacer alarde de su riqueza, incluso hasta el punto de llevar piedras preciosas en sus barbas. Las joyas eran un símbolo de jerarquía entre los hombres persas. Hasta los soldados llevaban grandes cantidades de joyas de oro mientras participaban en batalla.

"El pabellón era de blanco, verde y azul, tendido sobre cuerdas de lino y púrpura en anillos de plata y columnas de mármol; los reclinatorios de oro y de plata, sobre losado de pórfido y de mármol, y de alabastro y de Jacinto. Y daban a beber en vasos de oro, y vasos diferentes unos de otros, y mucho vino real, de acuerdo con la generosidad del rey. Y la bebida era según esta ley: Que nadie fuese obligado a beber; porque así lo había mandado el rey a todos los mayordomos de su casa, que se hiciese según la voluntad de cada uno." Ester 1.6-8.

Ester vivía en la capital del vasto Imperio Medo-Persa, que había incorporado las provincias de Media, Persia, así como los imperios anteriores de Asiria y Babilonia. Ester, una judía, fue elegida por el rey Asuero para ser su reina. La historia de la forma en que salvó a su pueblo se desarrolla en el palacio de Susa.

"Asimismo la reina Vasti hizo banquete para las mujeres, en la casa real del rey Asuero." Ester 1:9.

Los antiguos documentos griegos llaman Amestris a la esposa de Asuero, probablemente una forma griega para Vasti. Vasti fue depuesta en 484/483 a.C.

La deshonra del rey Asuero a la reina Vasti.

"El séptimo día, estando el corazón del rey alegre del vino, mandó a Mehumán, Bizta, Harbona, Bigta, Abagta, Zetar y Carcas, siete eunucos que servían delante del rey Asuero, que trajesen a la reina Vasti a la presencia del rey con la corona regia, para mostrar a los pueblos y a los príncipes su belleza; porque era hermosa." Ester 1.10-11.

Asuero, medio ebrio, tomó una decisión imprudente,

basada exclusivamente en los sentimientos.

Su moderación y su sabiduría práctica se debilitaron por el exceso de vino. Al hacer esa petición no mostró ningún respeto por la persona de Vasti. A menudo, los reyes del Medio Oriente no tenían relaciones personales cercanas con sus esposas.

"Más la reina Vasti no quiso comparecer a la orden del rey enviada por medio de los eunucos; y el rey se enojó mucho, y se encendió en ira." Ester 1.12.

La reina Vasti se negó a exhibirse ante el grupo de varones del rey, posiblemente porque iba en contra de las costumbres persas el que una mujer se presentara delante de una reunión pública de hombres. Este conflicto entre la costumbre persa y la orden del rey la colocó en una situación difícil, y decidió rechazar la orden de su esposo ya que estaba medio ebrio, esperando que más tarde volviera a sus cabales. Se ha sugerido que Vasti pudo haber estado embarazada de Artajerjes, quien nació en el 483 a.C. y que no quiso ser vista en público en ese estado.

La deshonra de la reina Vasti al rey Asuero.

Cualquiera que haya sido la razón, su acción fue una violación del protocolo, lo que también colocaba al rey Asuero en una situación difícil. Una vez dada una orden, un rey persa no podía retractarse. Mientras se preparaba para invadir Grecia, Asuero había invitado a funcionarios oficiales de todo su reino a ver su poder, su riqueza y su autoridad. Si se hubiera percibido que no tenía autoridad sobre su esposa, se hubiera visto en peligro su credibilidad militar, el más importante criterio de éxito para cualquier rey de la antigüedad. Además, el rey Asuero estaba acostumbrado a obtener lo que quería.

Las consecuencias.

"Preguntó entonces el rey a los sabios que conocían los tiempos (porque así acostumbraba el rey con todos los que sabían la ley y el derecho; y estaban junto a él Carsena, Setar, Admata, Tarsis, Meres, Marsena y Memucán, siete príncipes de Persia y de Media que veían la cara del rey, y se sentaban los primeros del reino); les preguntó qué se había de hacer con la reina Vasti según la ley, por cuanto no había cumplido la orden del rey Asuero enviada por medio de los eunucos. Y dijo Memucán delante del rey y de los príncipes: No solamente contra el rey ha pecado la reina Vasti, sino contra todos los príncipes, y contra todos los pueblos que hay en todas las provincias del rey Asuero." Ester 1.13-16.

Asuero, como la mayoría de los gobernantes del pasado, y de la actualidad, tenía un grupo de consejeros a los que consultaba en la mayoría de sus asuntos.

"Porque este hecho de la reina llegará a oídos de todas las mujeres, y ellas tendrán en poca estima a sus maridos, diciendo: El rey Asuero mandó traer delante de sí a la reina Vasti, y ella no vino." Ester 1.17.

El liderazgo implica tanto responsabilidades como influencia. Con su actitud rebelde, Vasti ignoró sus responsabilidades ante el rey Asuero. Los consejeros del rey temían que por la actitud de Vasti otras mujeres del reino siguieran su ejemplo.

"Y entonces dirán esto las señoras de Persia y de Media que oigan el hecho de la reina, a todos los príncipes del rey; y habrá mucho menosprecio y enojo. Si parece bien al rey, salga un decreto real de vuestra majestad y se escriba entre las leyes de Persia y de Media, para que no sea quebrantado: Que Vasti no venga más delante del rey Asuero; y el rey haga reina a otra que sea mejor que ella." Ester 1.18-19.

Para los persas y los medos las leyes eran inmutables. Ni aun el rey podía cambiarlas. Para muchas personas de su pueblo, un rey persa era considerado un dios. Por lo tanto, una vez que emitía una ley u orden, permanecía para siempre. La ley nunca podía ser cancelada, aun cuando hubiera sido imprudente. Pero si era necesario, se podía emitir una nueva ley para neutralizar los efectos de la anterior.

"Y el decreto que dicte el rey será oído en todo su reino, aunque es grande, y todas las mujeres darán honra a sus maridos, desde el mayor hasta el menor. Agradó esta palabra a los ojos del rey y de los príncipes, e hizo el rey conforme al dicho de Memucán; pues envió cartas a todas las provincias del rey, a cada provincia conforme a su escritura, y a cada pueblo conforme a su lenguaje, diciendo que todo hombre afirmase su autoridad en su casa; y que se publicase esto en la lengua de su pueblo." Ester 1.20-22.

PREGUNTAS **PARA LA DISCUSIÓN**
RELATOS DE HONRA Y DESHONRA EN LA BIBLIA

1. Ruth experimento una vida de honra. ¿Crees que la honra es algo con lo cual se nace o se puede aprender?

_____

_____

2. Cuando Ruth decidió honrar a su suegra acompañándola a su tierra, ella renunció a su propio pueblo. ¿Crees tú que los actos de honra implican renunciar a algo?

_____

_____

3. Ruth era considerada por los habitantes del pueblo de Belén como una mujer virtuosa. ¿La honra es una virtud o un principio de vida?

_____

_____

4. Ruth fue incluida por Dios en la genealogía del Mesías. ¿Crees que todo aquel creyente que practica la honra tiene la oportunidad de ser promovido por Dios a grandes niveles? Explica.

_____

_____

5. ¿Por qué cuando Esaú menospreció la posición que Dios le había dado como primogénito fue una deshonra muy grave ante el Señor?

_____

_____

6. ¿Por qué el que deshonra abre una brecha espiritual que lo hará que siga perdiendo privilegios en su vida?

_____

_____

Capítulo 16

LA HONRA
AL NACER Y AL MORIR

La vida es como la salida y la puesta del sol. El nacimiento de un niño o una niña trae usualmente regocijo a sus familiares porque una nueva vida está llegando al mundo. Representa la salida esplendorosa del sol. Pero usualmente el fallecimiento de una persona es un acontecimiento triste por la separación de ella de sus seres queridos en esta tierra. Representa la puesta del sol, un atardecer que va apagando la luz del sol y aparecen las sombras de la noche. Se cierra un día. De la misma manera se cierra el ciclo de la vida de una persona.

Honra al nacer, El nacimiento del Señor Jesucristo.

Como vimos en uno de los capítulos anteriores el nacimiento de Jesús estuvo cifrado por una serie de actos de honra por parte de personas que viajaron del oriente por mucho tiempo para encontrarse con él. La misma fue expresada en palabras y en hechos.

El nacimiento de Moisés.

Un varón de la familia de Leví fue y tomó por mujer a una hija de Leví, la que concibió, y dio a luz un hijo; y viéndole que era hermoso, le tuvo escondido tres meses. Pero no pudiendo ocultarle más tiempo, tomó una arquilla de juncos y la calafateó

155

con asfalto y brea, y colocó en ella al niño y lo puso en un carrizal a la orilla del río. Y una hermana suya se puso a lo lejos, para ver lo que le acontecería. Y la hija de Faraón descendió a lavarse al río, y paseándose sus doncellas por la ribera del río, vio ella la arquilla en el carrizal, y envió una criada suya a que la tomase. Y cuando la abrió, vio al niño; y he aquí que el niño lloraba. Y teniendo compasión de él, dijo: De los niños de los hebreos es éste. Entonces su hermana dijo a la hija de Faraón: ¿Iré a llamarte una nodriza de las hebreas, para que te críe este niño? Y la hija de Faraón respondió: Ve. Entonces fue la doncella, y llamó a la madre del niño, a la cual dijo la hija de Faraón: Lleva a este niño y críamelo, y yo te lo pagaré. Y la mujer tomó al niño y lo crió. Y cuando el niño creció, ella lo trajo a la hija de Faraón, la cual lo prohijó, y le puso por nombre Moisés, diciendo: Porque de las aguas lo saqué. Éxodo 2:1-10.

Como vemos el nacimiento de Moisés también tuvo rodeado de una serie de elementos de honra por la forma providencial de su adopción por la hija de Faraón y ser criado como el nieto de Faraón. Esto le permitió estar dentro de la familia real y ser educado como parte de la misma con todas las atenciones requeridas.

Pero luego Moisés tuvo el honor de convertirse en el líder del pueblo de Israel quien guiaría a este en su salida de Egipto hacia la tierra prometida.

El nacimiento del primogénito de los Duques de Cambridge William y Kate Middleton:

Esta noticia le dio la vuelta al mundo. Los seguidores de la pareja real estuvieron muy emocionados por la misma y aun muchos de los cuales salieron a las calles de Londres para celebrar este gran acontecimiento.

La información del acontecimiento fue enviada de inmediato a otras figuras de la nobleza como la reina, el duque de Edimburgo, el príncipe de Gales, la Duquesa de Cornwall, Príncipe Harry, quienes mostraron su felicidad por el nacimiento del bebe.

Medios de comunicación de todas partes del mundo se mantuvieron a las afueras del hospital para reportar el acontecimiento hasta que la famosa pareja y su bebe salieron del hospital.

Tras el nacimiento, un emisario de la familia real llevó desde el hospital hasta el palacio de Buckingham una nota oficial con los detalles del bebé, que colocó en un caballete detrás de las rejas, el mismo que se usó hace 31 años para anunciar el nacimiento del Príncipe William.

El Palacio de Kensington informó que este bebe tendrá el honor de ocupar el tercer lugar en la línea de sucesión a la corona británica. El recién nacido lleva el título de príncipe de Cambridge por expresa concesión de la Reina.

Como vemos este niño nació con todos los honores por tratarse de pertenecer a la familia real británica y ser heredero al trono.

Toda persona que nace, aunque este rodeado de las peores condiciones, viene a este mundo con un manto de honra: Ser a la imagen y semejanza de Dios.

Honra al morir, La muerte del Señor Jesucristo.

Fue cifrada también por una serie de actos de honra por parte de sus seguidores. Según la costumbre de los tiempos bíblicos de la crucifixión del Señor Jesucristo los cuerpos de los crucificados eran arrojados a la fosa común. Pero esto no sucedió así con Jesús gracias a la intervención de José de Arimatea ante Pilato.

Jesucristo no fue enterrado en una fosa común.

"Y he aquí un varón llamado José, el cual era senador, varón bueno y justo, (El cual no había consentido en el consejo ni en los hechos de ellos), de Arimatea, ciudad de la Judea, el cual también esperaba el reino de Dios; Este llegó a Pilato, y pidió el cuerpo de Jesús." Lucas 23. 50-52.

Podemos leer en Marcos 15.42-46 lo siguiente: "Cuando llegó la noche, porque era la preparación, es decir, la víspera del día de reposo, José de Arimatea, miembro noble del concilio, que también esperaba el reino de Dios, vino y entró osadamente a Pilato, y pidió el cuerpo de Jesús. Pilato se sorprendió de que ya hubiese muerto; y haciendo venir al centurión, le preguntó si ya estaba muerto. E informado por el centurión, dio el cuerpo a José, el cual compró una sábana, y quitándolo, lo envolvió en la sábana, y lo puso en un sepulcro que estaba cavado en una peña, e hizo rodar una piedra a la entrada del sepulcro."

Sepulcro nuevo.

Mateo 27. 60ª "Y lo puso en un sepulcro nuevo, que había labrado en la peña" Esto nos indica que el Señor fue sepultado en un lugar donde sepultaban a los ricos, quizás, pertenecía a la familia de José y que estaba reservado para ellos.

Sepultado entre los ricos.

Esto cumplió la profecía de Isaías 53.9: "Y se dispuso con los impíos su sepultura, mas con los ricos fue en su muerte; aunque nunca hizo maldad, ni hubo engaño en su boca."

Mirra y aloes.

"Después de estas cosas, José de Arimatea, el cual era discípulo de Jesús, mas secreto por miedo de los Judíos, rogó a Pilato que pudiera quitar el cuerpo de Jesús: y permitióselo Pilato. Entonces vino, y quitó el cuerpo de Jesús. Y vino también Nicodemo, el que antes había venido a Jesús de noche, trayendo un compuesto de mirra y de áloes, como cien libras. Tomaron pues el cuerpo de Jesús, y envolviéronlo en lienzos con especias, como es costumbre de los judíos sepultar. Y en aquel lugar donde había sido crucificado, había un huerto; y en el huerto un sepulcro nuevo, en el cual aún no había sido puesto ninguno. Allí, pues, por causa de la víspera de la Pascua de los Judíos, porque aquel sepulcro estaba cerca, pusieron a Jesús". Juan 19. 38-42.

La muerte de un amigo ministro.

Tuve la triste noticia del fallecimiento de un ministro amigo, a quien conocí de cerca junto a su familia. Era un hombre con un entusiasmo por ayudar a las personas pero lo más notorio era su pasión por evangelizarlas para que aceptaran a Jesucristo como su Salvador y Señor de sus vidas. Particularmente, yo le admire esta cualidad cuando lo vi proclamando el evangelio al aire libre con una gran convicción en la ciudad donde el vivía en los Estados unidos. Eso generó dentro de mi mucha admiración hacia él.

Me dirigí a su iglesia donde le harían un servicio funeral de cuerpo presente. Comenzaron a llegar muchas personas que vivían en la ciudad y quienes de una u otra forma habían sido impactados en algún área de su vida por este ministro. Muchas personas pasaron al frente y relataron anécdotas que vivenciaron al lado de este gran hombre. Algunas muy graciosas porque así es la vida, ella tiene momentos alegres y momentos tristes. Pero lo que me llamo más la atención fue que algunas personas viajaron desde lugares distantes para rendirle honra a este hombre y presentar sus respetos y condolencias a sus familiares.

Mientras observaba eso reflexione y llegue a la conclusión de que la vida realmente se mide por la influencia que una persona produce en las demás. En el impacto que produce en ellas. Al final de nuestros días se verá el nivel de honra (o deshonra) con el cual hemos vivido. Cosecharemos lo que hemos sembrado: honra o deshonra.

Uno de los ministros presentes, y quien fue gran amigo del pastor fallecido, expreso palabras de honra hacia él. Pero algo interesante que expreso fue una frase de una canción popular la cual decía" que me den lo mío mientras estoy con vida" Y tenía razón: la honra es mejor expresarla a las personas mientras esta con vida. Por supuesto, si no hemos tenido la oportunidad de hacerlo, también lo podemos hacer aunque sea en el momento de su funeral.

Alrededor de dos o tres semanas antes, tuve una experiencia sobrenatural. Me encontraba en oración y de repente sentí una urgencia por ir a su casa y ver a este hombre de Dios. Me había enterado de que su salud no se encontraba bien. La urgencia se hacía cada vez mayor, tenía que verlo ese mismo día y a mi mente vino la convicción de que su tiempo de partir con el Señor estaba muy cerca. Entonces, me dirigí en mi carro hacia su casa pero antes llame a mi esposa y le pedí que me acompañara. También le expresé mi sentir de que su partida era pronto. Ambos tuvimos la oportunidad de compartir con él y su esposa sobre lo que es la maravillosa experiencia de la vida. Hablamos sobre ese tema por un tiempo.

Algo interesante que recuerdo fue que antes de salir de mi casa, yo me lleve unos nutrientes especiales llamados nutraceuticos. Se los entregue y le explique a su esposa como administrárselos. La verdad, es que estos representaban la forma en la cual yo estaba mostrando con hechos la honra por este hombre de Dios. Yo "sabia" por decirlo de alguna forma que su partida con el Señor estaba cerca pero sin embargo al pedirle que tomara esos nutrientes naturales, lo que estaba haciendo era honrar hasta el último momento de su existencia. Deseaba que viviera con dignidad y honra hasta su último momento.

Cuando mi esposa y yo salimos de su casa, yo tenía la sensación muy profunda de que no le vería más con vida, y así fue. Aun algunos días después de nuestra visita llame a su esposa para saber cómo continuaba la condición de su salud de su esposo. Ella me dijo que había empeorado. Tiempo después mi esposa y yo nos encontrábamos ministrando en una iglesia de otra ciudad cuando recibimos por mensaje de texto la triste noticia.

La muerte digna de una gran dama de Dios.

Quiero tomar un tiempo para hablar de una pastora a la cual tuve el privilegio de conocer y acompañar en sus últimos años de vida. La verdad es que conocía a su esposo y a su hijo mayor más cercanamente porque ellos son ministros del evangelio y habíamos compartido juntos muchas veces. Ellos viven en los Estados Unidos en una ciudad diferente a la que yo vivo.

Ellos me pidieron que les diera mi opinión como ministro y como médico sobre la condición de salud de ella ya que se le había diagnosticado cáncer y las metástasis estaban diseminadas por todo su cuerpo. La ciencia médica no le daba ninguna posibilidad de vida a medida que transcurría el tiempo. Visite a la pastora en su casa y converse largamente con ella, su esposo y su hijo. Progresivamente hice lo mismo con el resto de la familia. Esa escena se fue repitiendo muchas veces a través de varios años en la cual ella lucho con determinación para seguir adelante fundamentada en su fe en el Señor.

Cada vez que la visitaba pude observar la increíble dignidad con la cual ella lidiaba con su enfermedad que avanzaba más y más. Ella se mantenía firme en sus convicciones y le daba ánimo a sus hijos y a su esposo. Recuerdo una oportunidad que su esposo estaba predicando en otro país y ella tuvo una crisis de salud. El la llamo y le dijo que iba a suspender las predicaciones y regresaría a USA a acompañarla. Ella le dijo que no, que por favor continuara predicando porque había muchas personas que necesitaban esa palabra. Le dijo que su hijo la llevaría al hospital y allá la tratarían medicamente. Finalmente el accedió a continuar predicando ante la insistencia y firmeza de su esposa.

Ella continuaba yendo a los servicios de la iglesia todos los domingos. Era impresionante como ella mantenía una sonrisa a pesar del dolor profundo que sentía en su cuerpo. Como médico entendía que ella estaba sufriendo mucho pero aun así se mantenía adorando al Señor y en una posición de dignidad como lo que era: una Reina de Dios.

En una de las ocasiones que la visite, su esposo me pidió que me quedara con ellos en su casa. Por muchos años, yo he tenido por regla ministerial, el no quedarme en casas sino en hoteles porque es más neutral para mí y así puedo tener la libertad de sostener reuniones con otros ministros incluso a altas horas de la noche. Pero hice una excepción debido a la admiración y respeto que fui desarrollando por esta mujer de Dios. Recuerdo que en esa ocasión ella y yo hablamos francamente de la muerte. Ella estaba clara de su situación y de lo que la muerte representaba. Pasado un tiempo su condición de salud empeoro y su esposo estaba predicando en otra nación. Su hijo mayor le pidió a ella que resistiera hasta que el regresara a USA y así lo hizo. Al llegar su esposo ella compartió con él y sus hijos. Pero luego de un tiempo ella le pidió a su esposo que la dejara irse con Dios, que orara por ella y la despidiera. Así lo hizo él y la dama digna, la Reina de Dios, se fue a los brazos de su padre celestial.

La vida debe comenzar con honra
y terminar de la misma manera.
Una vida sin honra no es vida.

PREGUNTAS PARA LA DISCUSIÓN
LOS SÍMBOLOS DE LA HONRA

1. Cada persona que nace viene dentro de una dimensión de honra por ser a la imagen y semejanza de Dios. ¿Qué otra razón divina le agregarías tú?

_____

_____

_____

2. Expresa varias razones por las cuales se debe honrar a un bebe que nace independientemente de las circunstancias que le rodean.

_____

_____

_____

_____

3. ¿Cuál es tu opinión con referencia a la honra y los bebes que son abortados?

_____

_____

_____

_____

4. ¿Por qué la muerte de un ser humano tiene que estar encerrado dentro de una atmosfera de honra?

_____

_____

_____

_____

5. ¿Qué crees tú que se honra en el funeral, a la persona o a la vida que esta experimento?

_____

_____

_____

6. ¿Cuál es tu opinión con referencia a la honra y a los asesinatos de personas en robos? ¿Qué sucede con la víctima y el victimario con referencia a la honra y sus efectos posteriores?

_____

_____

_____

7. ¿Por qué crees que cuando muere un mendigo en las calles y nadie reclama su cuerpo las autoridades de la ciudad asumen el costo de enterrarlo o cremarlo?

_____

_____

Capítulo 17

LA HONRA
EN EL REINO DE DIOS

Jesús le contestó: Mi Reino no es de este mundo. Si lo fuese, mis servidores habrían luchado para que yo no fuera entregado a los judíos. Pero mi Reino no es de aquí. Juan 18.36.

Jesucristo no es rey de este mundo. Los reinos de este mundo son temporales por más largos que sean, pues aún los vitalicios terminan algún día y son sustituidos por otros. Los reinos de este mundo son limitados, porque por más que ocupen grandes territorios, tienen como límite sus fronteras o las fronteras hasta donde llegue su influencia y su poder. Por más poderosos que se crean los reyes de la tierra, su poder es limitado en el tiempo y en el espacio. Cristo no vino a establecer un reinado así. Su Reino es diferente a los reinos de la tierra. Su Reino es como es Dios: eterno e infinito, sin límite de tiempo ni de espacio. Su Reino nunca se acabará y su Reino nunca será destruido.

El Reino de Dios comienza a operar en la tierra.

Recorría Jesús toda Galilea enseñando en la sinagoga de cada lugar. Anunciaba la buena noticia del Reino y curaba a la gente de toda clase de enfermedades y dolencias. Mateo 4. 23.

El Señor comienza a anunciar el evangelio del Reino

167

cuyo mensaje central era "el Reino de Dios se ha acercado." Y para mostrar que esto era así, que su Reino de poder, autoridad y justicia había comenzado a operar en la tierra, hace señales prodigiosas.

No se dirá: 'Aquí está' o 'Allí está', porque el Reino de Dios ya está entre vosotros. Lucas 17. 21.

Su Reino ya comenzó. El Reino de Cristo se va estableciendo paulatinamente en la tierra a través de aquellos, y dentro de aquellos, que crean y acepten que Jesucristo es el Mesías, el Hijo de Dios, el Rey de los cielos y de la tierra.

Cuando el Señor Jesucristo comenzó a predicar el evangelio del Reino comenzó también a operar el poder transformador del mismo, lo que no ocurrió con Juan el bautista quien trajo el mismo mensaje "el Reino de Dios se ha acercado" pero sin la manifestación de las señales y prodigios. Con el Señor comenzó a operar los milagros que revertieron situaciones imposibles a otras de extrema bendición cumpliendo la profecía de que "El lugar seco se convertiría en estanque" porque el Señor era el portador del agua viva.

Entonces, la naturaleza del reino de Dios produce transformaciones profundas en las personas y aun en las cosas ya que trae consigo una dimensión espiritual poderosa que está por encima de la natural, es decir es sobrenatural.

Los cristianos no tenemos dos naturalezas diferentes, tenemos una nueva naturaleza, la de Cristo. Tenemos una nueva simiente espiritual incorruptible que nos dota, nos empodera, para lograr el propósito que nos encomendó el Señor Jesucristo. Somos nuevas criaturas que han sido preparadas para una existencia eterna. Como resultado, podemos abandonar nuestra antigua manera de vivir y ser conformados a la vida de Cristo.

Integrados al Reino de Dios.

El Señor nos llevó a ser coherederos y colaboradores con él. Nos llevó a formar parte de la familia real. Eso nos dio una gran libertad al ser elevados a ese nivel con él. La honra transfiere el estatus de vida de la persona que la otorga. Ser coherederos con Cristo nos hace ser conscientes de la gran responsabilidad que tenemos en mantener ese tipo de relación con el Señor. La libertad trae la responsabilidad de asumir la nueva posición a la cual hemos sido promovidos. Una posición que se fundamenta más en quien es el Señor y no en quienes somos nosotros.

El Reino se manifiesta de una manera visible a través de la cultura de reino.

Siendo esta la expresión de un pueblo que camina, vive y se rige por los principios de Dios y no por normas o tradicionalismos de hombres. La cultura de Reino es el estilo de vida de un pueblo dependiente de Dios, de su palabra y de sus manifestaciones, que evidencia una clara identidad de hijos (individualmente) y de pueblo (colectivamente).

Un pueblo que camina bajo los principios revelados a través de su palabra y de los dones del Espíritu Santo, confirmados por el mismo Espíritu de Dios para edificar el Reino, siendo él quién guía a toda verdad, para el cumplimiento profético de lo trazado en el plan divino en la verdad presente. Somos, en esencia y origen, una Contra-cultura y no una subcultura enajenada por un sistema.

Entonces, el vínculo por excelencia que debería mantener unido a los miembros del Reino de Dios en su interacción es la honra.

Las relaciones en el Reino de Dios.

El Reino de Dios se expresa a través de relaciones der amor. Las diversos tipos de relaciones humanas son el vehículo a través del cual podemos expresar el amor de Dios y la honra es el camino para hacerlo.

La honra en el Reino de Dios proviene de alguien que estima tu vida y por eso te protege y eso a su vez te mueve a protegerlo a él. Eso crea una atmosfera saludable en el Reino donde unos a otros se levantan a un nuevo nivel teniendo prestigio y admiración.

El respeto es el sentido o actitud de admiración hacia alguien o algo. La admiración a su vez es el sentido de agrado y aprobación y a menudo maravilla de algo o alguien, el ser sorprendido por algún atributo de la persona. La honra se trata de maravillarse de alguien a causa de algo que distingue a esa persona.

Nosotros al ejercitar el poder de la honra, estamos creando personas honorables en el Reino de Dios. Velamos por la gloria en sus vidas.

Nosotros al ejercitar el poder de la honra, estamos creando personas honorables.

Les elevamos para que sean capaces de ejercer sus habilidades y alcancen el propósito de Dios en sus vidas. La honra en el Reino sirve para que nosotros sepamos quienes somos y qué posición ocupamos dentro del mismo. Cuando tú transfieres tu honor a otros en el reino construyes un cuerpo sano. Nosotros elevamos el estatus del otro. Sin embargo, la honra opera en ambas vías porque la persona que la enseña con su ejemplo la aprendió de alguien más.

La relación de honra entre el rey David y sus valientes.

David se fue de allí y huyó a la cueva de Adulam. Cuando sus hermanos y todos sus parientes lo supieron, fueron a reunirse con él. 2 También se le unieron todos los oprimidos, todos los que tenían deudas y todos los descontentos, y David fue hecho su capitán. Los que andaban con él eran como cuatrocientos hombres. 1 Samuel 22. 1-2.

El rey David creó entre sus treinta y siete valientes y la honra, respeto y admiración. Imagínate lo que significa estar huyendo, estar perseguido por alguien más fuerte que tú, y refugiarte en una cueva que se encontraba cerca de una guarnición de filisteos. ¡Y para completar ahora vienen a ti cuatrocientas personas con problemas peores! ¿Qué clase de ánimo podrías recibir de ellos? ¿Gritarías orgulloso, ahora soy el jefe de cuatrocientos que creen que yo los puedo ayudar con sus deudas, aflicciones y amargura?

Treinta y siete de esos hombres fueron desafiados al máximo al entrar en la cueva de Adulam. Esta protegía a estos hombres que pronto cambiarían la historia de naciones enteras. Treinta y siete de las más feroces máquinas guerreras que el mundo jamás haya conocido, estaban esperando manifestarse.

En la cueva de Adulam estaban: Adino, quien vencería a ochocientos enemigos en una sola batalla. Seria conocido como alguien sobresaliente por su talla de poderoso y su determinación. Jasobeam, quien daría de baja a trescientos enemigos con su lanza mortal en una batalla futura. Eleazar, estaba esperando la gran batalla del campo de la cebada que tendría en el futuro este guerrero. En lo más recóndito de ese refugio, se encontraban también Amasai y Sama, quienes serían miembros renombrados de los treinta de David. El hijo del sacerdote Benaia, se encontraba también ahí con David.

La fama y las leyendas futuras forraban las paredes de la cueva de Adulam, pero la vida de estos hombres tenía que ser transformada para que esto ocurriera. David unió su corazón al de cada uno de ellos, pero también ellos se unieron a la visión y al destino de David ese día.

Estos hombres unieron su destino a David porque sabían que el sería un rey poderoso pues Dios lo había ungido a través del profeta Samuel para que esto ocurriera en el futuro cercano, y ellos querían ser parte de su pueblo que lo aceptaba como tal.

Ellos al unirse a David se ligaron a la unción
de un rey, a la honra de vivir bajo un código
y un nivel de vida muy alto,
lo que aumento su autoestima
y nivel de dignidad.

Estos hombres fueron desafiados a vivir en un nuevo estándar que la visión requería para conquistar lo que Dios le había prometido a David: ser rey. Fueron desafiados a dejar de enfocarse en sus problemas y enfocarse en alcanzar la visión que estaban abrazando ahora, y eso iría progresivamente alineando todo hacia la bendición de ellos incluyendo la provisión.

Tenían el desafío de desarrollar cualidades que antes no poseían para realizar asignaciones que antes no habían hecho. David los desafió a ser valientes como él lo era, y ellos aceptaron el reto. Aceptaron transformar el miedo en valentía y atreverse a realizar hazañas que inspirarían a otros. Decidieron convertirse en instrumentos de inspiración para otros en vez de personas que daban lastima ante los demás.

Estos hombres vinieron a David y se hicieron leales hasta la muerte a su rey. Decidieron no criticarlo sino ayudarlo a alcanzar su trono. De la misma manera David se unió a ellos y les transfirió su espíritu poderoso y valiente en la esfera espiritual. En la esfera material, cada vez que David alcanzaba una gran victoria, repartía el botín con ellos. Eso los llevo a salir de su situación y convertirse en personas ricas y de inspiración para otros. Entre David y sus hombres se estableció un código de honra mutua muy poderoso. David coloco a estos hombres en los cargos más elevados de su reino y fueron conocidos como los "Valientes de David".

La responsabilidad de los Valientes ante el rey David.

Volvieron los filisteos a hacer la guerra a Israel, y descendió David y sus siervos con él, y pelearon con los filisteos; y David se cansó. Elsbi-benob, uno de los descendientes de los gigantes, cuya lanza pesaba trescientos siclos de bronce, y quien estaba ceñido con una espada nueva, trató de matar a David; mas

Abisai hijo de Sarvia llegó en su ayuda, e hirió al filisteo y lo mató. Entonces los hombres de David le juraron, diciendo: Nunca más de aquí en adelante saldrás con nosotros a la batalla, no sea que apagues la lámpara de Israel. 2 Samuel 21. 15-17.

La honra genera un gran sentido de responsabilidad de las personas que la han recibido. Por eso, durante esa batalla contra los filisteos la vida de David, y su trono como rey, fueron puestos en las manos de sus valientes, y ellos vieron la gran responsabilidad que tenían. Vieron lo que él podría perder si ellos no tomaban una acción definida frente a eso. Le dijeron entonces: «No podemos permitirnos el lujo de perderte; tú te mantendrás lejos y nosotros iremos a la batalla por ti y tu trono».

La responsabilidad de los Valientes de Dios ante su Reino.

Los mismos intereses: honor, gloria y el trono del Señor Jesús, están ligados con la iglesia. El asunto es que él ya no está solo, y él puede perder en un sentido figurado, si su iglesia falla. Dios padre podría decir acerca de su Hijo: «Este no es el tiempo para que tú salgas personalmente; tú ya lo has hecho; es el tiempo que tu iglesia defienda tus intereses».

La iglesia del Señor somos los llamados a realizar la tarea de extender su reino en la tierra. Tenemos que ver la gran responsabilidad que está en nuestras manos. Si nosotros no asumimos la responsabilidad ante la agresión de las huestes de maldad, si no nos fortalecemos en el Señor y nos enfrentamos a los principados y potestades, no sólo nosotros tendremos perdidas, sino también el reino de Dios lo tendrá.

Los valientes asumen grandes compromisos por honrar a su rey. Los valientes de David estaban comprometidos con él y su visión para que tuviera éxito en su reinado. El compromiso representa la honra y amor por alguien. Nadie invierte donde no ama. Recordemos que algunas de las hazañas de ellos se relacionaron sobre todo con algunos deseos del corazón de David.

Ellos estaban consagrados a él, y eso era uno de los rasgos distintivos de los valientes de David.

Pero los hombres de David no se preocupaban por sus propios intereses o por cómo las cosas les afectaban. Los valientes de David se distinguían por su honra a Él. Otros quienes tenían intereses mezquinos huían ante las dificultades —debido a la magnitud de las condiciones adversas— pero los valientes de David veían la adversidad como una oportunidad para demostrar su honra a su señor.

Ellos hicieron un pacto de horrar el trono del rey David. Al leer sobre ellos nos damos cuenta que su lealtad no era sólo para David como persona, sino porque ellos conocían el lugar de Dios para esa persona, habían comprendido que era el hombre escogido por Dios para el trono. El trono era para ellos, el trono de un elegido de Dios. Vieron que David era el hombre de Dios para el trono. Por lo tanto, hicieron un pacto de honra con él en dos direcciones: en el destino divino como rey y en la devoción personal.

El Espíritu Santo está trabajando en nosotros tratando de atraernos, desde nuestros intereses personales, hacia una mayor relación con el Señor Jesucristo y un mayor compromiso hacia la expansión de su reino en la tierra. Él es el escogido de Dios para el lugar de autoridad suprema sobre este universo por todos los siglos.

Cuando las cosas que nos tocan aquí en esta tierra y en nuestras vidas personales son adversas y nos amenazan, muy a menudo perdemos la fe. Nos abatimos, nos confundimos espiritualmente, en presencia de una amenaza a nuestros intereses personales. Tenemos que aprender a desechar la consideración de cómo eso nos afecta, y asumir una posición a favor de los intereses del Señor. Es una verdadera prueba de fidelidad. Los valientes de Dios se preguntan: ¿Qué perderá el Señor, y su reino, si yo huyo de esta situación? ¿Cómo va afectar a mi Señor y a su trono esto que voy a realizar? Los valientes de Dios se distinguen del resto de los cristianos por esa clase de lealtad que tienen hacia Jesucristo.

La mancha de deshonra en la vida del rey David.

En 2 Samuel 23. 8-39 encontramos la lista de los valientes de David y algunas de las hazañas que ellos realizaron. El versículo 8 comienza diciendo "Estos son los nombres de los valientes que tuvo David" y el versículo 39 finaliza diciendo "Urias Heteo; treinta y siete por todos" Eran originalmente treinta y siete, sin embargo casi siempre se hace referencia a solo treinta y seis valientes, porque uno de ellos murió por la orden que envió David.

El gran Rey David, el amado por Dios, el hombre que se le llama en el Antiguo Testamento "un hombre según el corazón de Dios" (1Sam. 13:14) tuvo una mancha de deshonra en su magnífico historial indicando esto que todos nosotros somos seres humanos que necesitamos de la gracia y misericordia de Dios.

Urias era uno de los treinta y siete valientes que formaron parte del equipo de confianza de David bajo un pacto de honra. Sin embargo en 2 Samuel 11: 1-27 leemos la historia completa de este triste acontecimiento.

¹ Aconteció al año siguiente, en el tiempo que salen los reyes a la guerra, que David envió a Joab, y con él a sus siervos y a todo Israel, y destruyeron a los amonitas, y sitiaron a Rabá; pero David se quedó en Jerusalén. ² Y sucedió un día, al caer la tarde, que se levantó David de su lecho y se paseaba sobre el terrado de la casa real; y vio desde el terrado a una mujer que se estaba bañando, la cual era muy hermosa. ³ Envió David a preguntar por aquella mujer, y le dijeron: Aquella es Betsabé hija de Eliam, mujer de Urías heteo. ⁴ Y envió David mensajeros, y la tomó; y vino a él, y él durmió con ella. Luego ella se purificó de su inmundicia, y se volvió a su casa. ⁵ Y concibió la mujer, y envió a hacerlo saber a David, diciendo: Estoy encinta. ⁶ Entonces David envió a decir a Joab: Envíame a Urías heteo. Y Joab envió a Urías a David. ⁷ Cuando Urías vino a él, David le preguntó por la salud de Joab, y por la salud del pueblo, y por el estado de la guerra. ⁸ Después dijo David a Urías: Desciende a tu casa, y lava tus pies. Y saliendo Urías de la casa del rey, le fue enviado presente de la mesa real. ⁹ Más Urías durmió a la puerta de la casa del rey con todos los siervos de su señor, y no descendió a su casa. ¹⁰ E hicieron saber esto a David, diciendo: Urías no ha descendido a su casa. Y dijo David a Urías: ¿No has venido de camino? ¿Por qué, pues, no descendiste a tu casa? ¹¹ Y Urías respondió a David: El arca e Israel y Judá están bajo tiendas, y mi señor Joab, y los siervos de mi señor, en el campo; ¿y había yo de entrar en mi casa para comer y beber, y a dormir con mi mujer? Por vida tuya, y por vida de tu alma, que yo no haré tal cosa. ¹² Y David dijo a Urías: Quédate aquí aún hoy, y mañana te despacharé. Y se quedó Urías en Jerusalén aquel día y el siguiente. ¹³ Y David lo convidó a comer y a beber con él, hasta embriagarlo. Y él salió a la tarde a dormir en su cama con los siervos de su señor; mas no descendió a su casa. ¹⁴ Venida la mañana,

escribió David a Joab una carta, la cual envió por mano de Urías. ¹⁵ Y escribió en la carta, diciendo: Poned a Urías al frente, en lo más recio de la batalla, y retiraos de él, para que sea herido y muera. ¹⁶ Así fue que cuando Joab sitió la ciudad, puso a Urías en el lugar donde sabía que estaban los hombres más valientes. ¹⁷ Y saliendo luego los de la ciudad, pelearon contra Joab, y cayeron algunos del ejército de los siervos de David; y murió también Urías heteo. ¹⁸ Entonces envió Joab e hizo saber a David todos los asuntos de la guerra. ¹⁹ Y mandó al mensajero, diciendo: Cuando acabes de contar al rey todos los asuntos de la guerra, ²⁰ si el rey comenzare a enojarse, y te dijere: ¿Por qué os acercasteis demasiado a la ciudad para combatir? ¿No sabíais lo que suelen arrojar desde el muro? ²¹ ¿Quién hirió a Abimelec hijo de Jerobaal? ¿No echó una mujer del muro un pedazo de una rueda de molino, y murió en Tebes? ¿Por qué os acercasteis tanto al muro? Entonces tú le dirás: También tu siervo Urías heteo es muerto. También tu siervo Urías heteo es muerto. ²² Fue el mensajero, y llegando, contó a David todo aquello a que Joab le había enviado. ²³ Y dijo el mensajero a David: Prevalecieron contra nosotros los hombres que salieron contra nosotros al campo, bien que nosotros les hicimos retroceder hasta la entrada de la puerta; ²⁴ pero los flecheros tiraron contra tus siervos desde el muro, y murieron algunos de los siervos del rey; y murió también tu siervo Urías heteo. ²⁵ Y David dijo al mensajero: Así dirás a Joab: No tengas pesar por esto, porque la espada consume, ora a uno, ora a otro; refuerza tu ataque contra la ciudad, hasta que la rindas. Y tú aliéntale. ²⁶ Oyendo la mujer de Urías que su marido Urías era muerto, hizo duelo por su marido. ²⁷ Y pasado el luto, envió David y la trajo a su casa; y fue ella su mujer, y le dio a luz un hijo. Más esto que David había hecho, fue desagradable ante los ojos de Jehová.

Sin embargo, lo que David había hecho le desagradó al Señor. ¿Cuáles fueron las consecuencias del acto de deshonra de David a uno de sus valientes? Usualmente nos enfocamos en que el hijo de ambos murió como castigo de Dios al acto de pecado cometido por ellos. Pero yo quiero hacer referencia a otra consecuencia que va más enfocada hacia la honra.

Cuando el rey David estaba ya instalado en su palacio, y el Señor le había concedido la paz con todos sus enemigos de alrededor, dijo a Natán, el profeta: Como puedes ver, yo vivo en un palacio de cedro, mientras que el arca de Dios está en medio de simples cortinas. 2 Samuel 7. 1-2.

David sintió en su corazón el deseo de construirle un templo a Dios. El arca había estado en el tabernáculo, que no era más que una vieja y destartalada tienda de campaña, de modo que David razonó consigo mismo diciendo: "Yo vivo en una preciosa casa de cedro y el arca de Dios tiene que morar en una vieja tienda. ¿Por qué no le construyo una casa a Dios?

Cuando el profeta Natán se enteró animó a David a que lo hiciese, pero Dios lo envió a el mismo para decirle: "No, eso no está bien" Dios rechazó el plan de David de edificar el templo, aunque la suya había sido una buena intención, sincera y seria, pero David no fue la persona asignada por Dios para ello ¿por qué?

Reunió David en Jerusalén a todos los principales de Israel, los jefes de las tribus, los jefes de las divisiones que servían al rey, los jefes de millares y de centenas, los administradores de toda la hacienda y posesión del rey y de sus hijos, y los oficiales y los más poderosos y valientes de sus hombres. Y levantándose el rey David, puesto en pie dijo: Oídme, hermanos míos, y pueblo mío. Yo tenía el propósito de edificar una casa en la cual reposara el arca del pacto de Jehová, y para el estrado de los pies de nuestro Dios; y había ya preparado todo para edificar. Mas Dios me dijo: Tú no edificarás casa a mi nombre, porque eres hombre de guerra, y has derramado mucha sangre. 1 Crónicas 28. 1-3.

Usualmente nos enfocamos que la razón principal era que David era un hombre de guerra y solo alguien que representara la imagen de Cristo como príncipe de paz lo podía hacer. Pero cuando el mismo Dios le dice a David "y has derramado mucha sangre." David era un hombre de guerra y Dios lo utilizó como un instrumento de juicio hacia pueblos paganos y por ello le concedió grandes victorias. Entonces, acaso Dios no se estaría refiriendo también al asesinato de Urias luego de haber mantenido relaciones sexuales con su esposa bajo un acto de doble deshonra a este. ¿Acaso David perdió el honor de construirle el templo a Dios como consecuencia de ese acto de deshonra?

El pacto de honra que los valientes hicieron con David, y que cumplieron lealmente hasta su muerte, implicó el respaldo incondicional a su rey aunque este envió a asesinar injustamente a uno de los suyos.

PREGUNTAS PARA LA DISCUSIÓN
LA HONRA EN EL REINO DE DIOS

1. ¿Por qué crees tú que la honra es un principio fundamental en el Reino de Dios?

_____

_____

2. ¿Cuál crees tú que es la responsabilidad mayor que tenemos como creyentes por el hecho de que fuimos integrados a la familia real de Dios?

_____

_____

3. Si nosotros somos un pueblo que camina bajo los principios revelados de la palabra de Dios, ¿Por qué crees tú que la honra no es muy practicada en las iglesias?

_____

_____

4. ¿Por qué las relaciones bajo un pacto de honra son fundamentales en el Reino de Dios?

_____

_____

5. ¿ Cuál es tu principal responsabilidad, como uno de los Valientes de Dios, ante su Reino?

_____

_____

Capítulo 18

LA HONRA
EN LOS NEGOCIOS

Riquezas, honra y vida son la remuneración de la humildad y del temor de Jehová. Proverbios 22.4

Tuve la oportunidad de conocer a un empresario quien vivía en los Estados Unidos para ese tiempo y quien tenía un negocio en América Latina junto a sus socios. Lamentablemente hubo problemas entre sus socios y él hasta que finalmente tuvieron que romper su relación de negocios.

En una ocasión este empresario viajo desde USA a América Latina a seguir desarrollando la empresa que estaba estructurando y tuvo discrepancias con sus socios por la forma en la cual estos querían llevar el negocio. Al finalizar su trabajo después de varios días este empresario regreso a USA.

Los socios en su ausencia idearon una forma de afectar la reputación de este hombre. Todos los socios tenían la capacidad de firmar los cheques en la cuenta bancaria de la empresa para pagar la nómina de los empleados que tenían la cual ascendía a unas setenta personas. Pues bien, los socios no firmaron los cheques de la nómina y le dijeron a los empleados que la única persona que tenía la capacidad de firmar los cheques era el empresario que acababa de regresar a USA y que este regresaría en dos semanas. Por supuesto los empleados se enojaron mucho porque necesitaban el dinero para sus familias y expresaron su enojo contra este empresario quien estaba totalmente ajeno a lo que estaba sucediendo.

Uno de los empleados de confianza, y que estimaba a este empresario, le llamo a USA y le comunico lo que estaba sucediendo. De inmediato el empresario compro los boletos aéreos de su propio dinero para regresar a América Latina el día siguiente. Antes de viajar el llamo a sus socios y les indico que llegaría el día siguiente y que quería verlos en la oficina de la empresa para confrontar la situación. Pero lo que hicieron los socios fue informarles a los empleados que el empresario estaría en la oficina el siguiente día.

Cuando el empresario llego de viaje fue directamente a las oficinas de la empresa y se encontró que los socios no habían acudido. En su lugar estaban todos los empleados afuera molestos y queriendo agredir al empresario. Este fue escoltado por los miembros de seguridad hasta la oficina.

El empresario dio orden de pasar uno a uno a los empleados, les pidió disculpas por la situación, y les mostro los documentos bancarios donde indicaba que todos los socios podían firmar los cheques y que ellos no lo habían querido hacer como una maniobra para producir el caos en la empresa. Eso calmo la ira de los empleados y estos le agradecieron al empresario que hubiera viajado varias horas desde USA hasta América Latina solamente para firmar los cheques y para que ellos pudieran tener disponible su salario para cubrir los gastos de sus familias. Este hombre mostro con sus hechos que para él los negocios eran una cuestión de honor y no algo meramente para ganar dinero.

Los negocios se establecen a través de una relación de honra entre dos partes. Si alguien es dueño de un negocio y tiene empleados ambas partes deben honrar su relación de negocios porque el dueño tiene la responsabilidad de llevar adelante la visión de su negocio para avanzar, pero los empleados tienen la responsabilidad de unirse a la visión de la empresa y aportar lo mejor de sus destrezas en favor del cumplimiento de los objetivos y metas trazadas por el dueño.

El dueño debe ser honrado por los empleados porque él les está proveyendo el sustento para sus familias a través de su negocio mientras que los empleados deben ser honrados por el dueño porque ellos están dando su tiempo, capacidades y esfuerzo en favor del crecimiento del negocio.

Tanto los dueños de negocios
como los empleados tienen sueños
y al unirse a trabajar juntos cada uno debe
aportar lo mejor de sí para que ambos lo logren.

Los empleados deben honrar al dueño uniéndose a su negocio con una mentalidad de aportar lo mejor de sí y no solamente con la mentalidad de cumplir las tareas asignadas para obtener un salario. Eso no les daría satisfacción ni tendrán amor por su trabajo. Sería un mero compromiso solamente.

Una vez que un empleado se retira de un negocio y se va a otro debería salir con una buena reputación del buen desempeño que ha tenido lo cual servirá de referencia hacia su nuevo empleador.

Es sensato que los empleados sigan creciendo en su vida laboral y si se van a otra empresa para continuar dicho crecimiento es importante irse bien y con el agradecimiento de su anterior jefe por su excelente desempeño.

Los principios son más importantes que las labores realizadas. Dos empleados pueden hacer las mismas tareas pero si uno de ellos lo hace con un sentido de honra de seguro creara un impacto mayor. Su jefe y sus demás compañeros posiblemente apreciaran más lo que él hace y a el mismo como persona.

El trabajar en equipo es crucial en un negocio donde los compañeros de trabajo honran las habilidades que cada uno aporta para alcanzar las metas, pero también donde los jefes valoran su equipo y tratan de darles las oportunidades para que se desarrollen más. De igual manera si alguien realiza una labor especial es justo honrarlo con un reconocimiento y con un incentivo económico adicional. Eso creara una atmosfera de crecimiento donde cada uno hará su mejor esfuerzo tendiente al bienestar de todos.

Tristemente, las personas muchas veces ven los negocios como el medio para ganar dinero sin importar la forma en la cual los llevan adelante.

Realmente en el mundo de los negocios,
para los verdaderos hijos de Dios,
el principio de la honra
es más poderoso que el dinero.

En este milenio el mundo está sufriendo una gran transformación guiada por la tecnología. Esto está provocando que surjan necesidades genuinas en las personas. Los negocios surgen como respuestas a estas necesidades legítimas que hay que cubrir en las personas. Cuando lo que mueve a una persona a dar respuesta a estas necesidades probablemente tendrá un negocio exitoso con miles de clientes.

En la era de la información el modelo de negocio está cambiando dramáticamente. En la era industrial los negocios se iban desarrollando más lentamente pero ahora los negocios se desarrollan de manera viral. Es decir, miles de personas se conectan con un producto o servicio y lo adquieren en un periodo de tiempo corto. Es por ello que empresas multimillonarias guiadas por jóvenes han surgido en estos tiempos gracias a la tecnología y a la forma de mercadeo viral.

A pesar de que los modelos de hacer negocios han cambiado en la era de la información, los principios como la honra permanecen inmutables a través del tiempo.

La forma de hacer los negocios cambian pero lo importante es el fundamento de los mismos. Si el fundamento es que sean un medio a través del cual puedas expresar y vivir dentro del marco de la honra, definitivamente tus negocios prosperaran. Después dijo Dios: Produzca la tierra hierba verde, hierba que dé semilla; árbol de fruto que dé fruto según su género, que su semilla esté en él, sobre la tierra. Y fue así. Génesis 1.11.

"Que su semilla este en el" La productividad es la semilla que Dios ha colocado dentro de nosotros desde el momento de nacer. La misma se tiene que activar para producir nuestra economía y finanzas como reyes en esta tierra. Los negocios son un medio de activar la semilla de la productividad que Dios ha puesto dentro de cada uno de nosotros.

Sino acuérdate de Jehová tu Dios, porque él te da el poder para hacer las riquezas, a fin de confirmar su pacto que juró a tus padres, como en este día. Deuteronomio 8.18.

La idea fundamental de Dios al darnos la capacidad de producir, de colocar dentro de nosotros la semilla de la productividad, fue que creáramos riquezas en el Reino para usarla bajo dos principios:

Para honrar a Dios como Rey supremo.

A Dios se le honra dependiendo de la conciencia que cada creyente tiene de la magnitud de quien es el Rey de Reyes y Señor de señores. Es una cuestión más de honra que de un porcentaje especifico de dinero. Los diezmos, los primeros frutos y las ofrendas son apenas una representación de la honra a nuestro padre celestial pues todo le pertenece a Él.

Para traer prosperidad a las personas bajo nuestra autoridad y mejorar su calidad de vida.

El problema en el mundo no es la falta de recursos sino la mala distribución de ellos. La mayor parte de las riquezas del mundo están en las manos egoístas de unos pocos que usan su poder económico para oprimir a las personas que deberían cuidar y mejorar su calidad de vida.

Las riquezas en el Reino de Dios siempre tienen un fin.

La riqueza que Dios le concede a un empresario del reino no es para ser utilizada para cualquier cosa sino para aquello que tiene un propósito.

Los empresarios del Reino de Dios buscan la forma de incrementar sus riquezas a través de los negocios para tener los recursos necesarios para honrar a Dios primeramente y también para crear estabilidad y seguridad mejorando la calidad de las personas que están bajo su autoridad. De esta manera las riquezas del rey no se estancan en el egoísmo personal porque tienen un fin más allá que acumular dinero.

Si nos enfocamos en esos dos principios venceremos el egoísmo humano el cual es producto de la naturaleza caída del hombre. La naturaleza de Dios es el dar, Él es generoso, y nosotros como sus hijos y Reyes en la tierra tenemos que aprender a desarrollar un espíritu similar ya que fuimos creados a su imagen y semejanza.

Si los negocios se convierten en un medio para honrar a Dios y mejorar la calidad de vida de muchas personas, de seguro que progresivamente el Señor extenderá su favor sobre los mismos.

El espíritu de los negocios.

En la esfera legal cuando se va a constituir una empresa se redacta un documento y se registra ante los organismos del país. Cuando el documento es aprobado se establece que la empresa es una persona jurídicamente. Es decir tiene una personería jurídica. Es un ente que tiene una finalidad por la cual fue creada.

Así como las personas naturales tienen
un espíritu, de la misma manera los negocios
tienen un espíritu que se manifiesta
a través de los principios que practican
sus dueños y por la finalidad
con la cual fueron creados los mismos.

Hay empresas que fueron creadas para hacer negocios oscuros pero también hay otras empresas que han sido creadas para aportar dinero a causas nobles de ayuda humanitaria o de desarrollo social en las naciones. Ambas tienen espíritus diferentes.

Lo que somos como personas lo expresamos a través de lo que hacemos, creamos, u organizamos. No podemos separar nuestros principios de vida y de fe de quienes somos.

PREGUNTAS PARA LA DISCUSIÓN
LA HONRA EN LOS NEGOCIOS

1. ¿Por qué crees tú que los negocios se establecen a través de una relación de honra entre dos partes?

_____

_____

2. ¿Si una persona no tiene la visión de ser dueña de su propio negocio y se integra a trabajar en una empresa, entonces tiene la responsabilidad de unirse a la visión de esa empresa y dar su mejor esfuerzo para hacerla avanzar? Explica.

_____

_____

3. ¿Cuál es la diferencia entre integrarse a una empresa con la mentalidad de recibir un salario a unirse con la mentalidad de aportar lo mejor de sí?

_____

_____

4. ¿Por qué los principios son más importantes que las labores realizadas?

_____

_____

5. Explica cómo en un equipo de una empresa o negocio se pueden honrar las habilidades que cada uno aporta para alcanzar las metas?

_____

_____

_____

6. ¿Por qué en los negocios, para los verdaderos hijos de Dios, el principio de la honra es más poderoso que el dinero?

_____

_____

7. ¿Por qué el principio de la honra permanece inmutables a través del tiempo aunque los modelos de hacer negocios cambien?

_____

_____

_____

8. ¿Por qué la productividad es una semilla espiritual que está dentro de nosotros pero que hay que activar?

_____

_____

9. Al crear las riquezas en el Reino a través de los negocios, ¿Por qué tenemos que usarla para honrar a Dios como Rey supremo?

_____

_____

10. ¿Por qué las riquezas producidas a través de los negocios del Reino deben ser usadas para traer prosperidad a las personas bajo nuestra autoridad y mejorar su calidad de vida?

_____

_____

11. Menciona algunas empresas que tú conoces o has visto en los anuncios de la televisión y menciona también el "espíritu" que tú crees que tienen.

_____

_____

Capítulo 19

FORMAS SUGERIDAS DE PONER EN PRÁCTICA LA HONRA

A continuación sugiero una serie de formas prácticas de honrar a una persona sola, o con su familia, en caso de que sean varios miembros de la misma que hayan contribuido a tu crecimiento personal, familiar, financiero, o de cualquier otra índole. Por supuesto tú puedes agregar otras más que consideres apropiadas.

Investiga el origen de tu apellido.

Puedes contactar a empresas que se encargan de hacer ese tipo de investigaciones por una cantidad moderada de dinero. Esa información es valiosa para conocer detalles más precisos acerca de tus antepasados y algo que tu desees honrar de ellos. Recuerda que la honra es una de las formas más poderosas de conectarte con la herencia generacional que tienes como derecho legítimo que el Señor te otorgo.

Revisa el árbol genealógico.

Investiga a tus parientes más cercanos y lejanos. Sus nombres, ocupaciones, si iniciaron algo por iniciativa propia, que nivel de estudio tuvieron, que nivel económico tenían, o a qué se dedicaron. Busca conectarte con algo bueno que alguno de ellos tenía y que te permita honrarlos.

Comida especial.

Puedes reunir a quienes deseas honrar y hacerles una comida especial en la cual puedas decir palabras de honra, y agradecimiento, por lo que han representado para ti. Respalda tus palabras con un regalo especial que denote el nivel de honra y de valoración que tú les das a ellos.

Tarjeta especial.

Compra una tarjeta en la cual escribas palabras de honra y reconocimiento de cuanto esa persona ha aportado para el crecimiento en tu vida. Si la persona vive en tu misma ciudad puedes decirle que deseas verla y se la entregas personalmente. Si la persona vive en otra ciudad o en otro país envíala por correo.

Llamada telefónica.

Si la persona que deseas honrar vive en otro país entonces puedes hacerle una llamada de larga distancia para expresarle del fondo de tu corazón palabras de honra. Luego puedes enviarle un presente que simbolice el nivel de honra que le quieres dar. Hoy en día es fácil contratar a compañías internacionales que entregan regalos a domicilio.

Dinero.

Si la persona que deseas honrar quizás está pasando por un tiempo de dificultad económica, puedes organizar una recolecta de dinero (o simplemente tú le aportas una cantidad de honra) y se la llevas, diciéndole lo valiosa que ha sido esa persona para tu crecimiento, y que ahora tú deseas honrarlo de esa manera.

Ropas nuevas.

Otra forma creativa de honrar a alguien es invitarla a salir contigo de compras. Una vez te encuentres en el centro comercial o tienda que has escogido para honrar a la persona, entonces le dices que deseas honrarla y que el Señor ha puesto en tu corazón hacerlo de esa manera. Primero exprésale las palabras de honra y luego dile que puede comprar la ropa que desea, o hasta el monto que has designado para esa ocasión. Las vestiduras como vimos en la Biblia son una forma de representar la honra en las personas.

Reunión especial.

Puedes rentar un lugar como un salón de festejos, un restaurant o hacerlo en una casa, e invita a un grupo que conozcan también a la persona que tú has decidido honrar, y hacer un acto en conjunto donde todos ellos, junto a ti, aporten para hacer este acto de reconocimiento.

Regalo especial.

Si es una mujer puedes regalársele un ramo de flores acompañado de una tarjeta con la firma de las personas que le honran. Si es un hombre pueden comprar un regalo especial para él.

Álbum de honra.

Puedes organizar un álbum especial para la ocasión en el cual las personas escriban palabras de honra para la persona y luego incluirle las fotografías que tomen para que quede de recuerdo para la persona a la cual se honra.

Declaración de honra.

Es importante realizar una declaración de honra por escrito lo cual quede como un documento de compromiso del creyente ante sí mismo y ante Dios, y el cual sea firmado por dos testigos que confirmen dicho compromiso. Les doy más abajo un modelo de cómo hacerlo.

Ficha de aplicación del principio de la honra.

De igual manera les doy abajo una ficha modelo de cómo pueden aplicar mensualmente el principio de la honra en forma organizada.

DECLARACIÓN DE HONRA

Luego de leer este libro he concientizado la profundidad que involucra la aplicación del principio de la honra en mi vida diaria como creyente. Por lo cual hago la siguiente declaración delante del Señor Jesucristo. Me comprometo a:

1 Convertirme en un creyente que vive bajo el principio del reino de Dios de la honra y que lo aplicaré como uno de los pilares en mi vida en Cristo.

2 Me niego a vivir mi vida bajo la deshonra y el desagradecimiento porque esto va en contra de la palabra de Dios. El Señor Jesucristo me dio una posición de honra al morir por mí en la cruz del Calvario y por agradecimiento a Él lo honraré como mi Salvador, Señor y Rey de mi vida.

3 Proteger mis relaciones más importantes a través de la honra en los años venideros.

4 Restaurar a través del principio de la honra a aquellas personas que han fallado las cuales merecen una segunda oportunidad de parte de Dios.

5 Poner en práctica mensualmente el principio de la honra hasta que se haga algo normal en mi vida.

6 Cumplir el mandamiento de honrar a mis padres.

7 Honrar a las autoridades espirituales que Dios ha puesto sobre mí.

Firma _____ Fecha _____

Testigo 1 _____ Testigo 2 _____

APLICACIÓN MENSUAL DEL PRINCIPIO
DE LA HONRA

Nombre del mes: _____

¿A quién vas a honrar este mes? Escribe el nombre de las personas a quienes vas a honrar.

_____

_____

¿Por qué les voy a honrar? Menciona a continuación las razones por las cuales tú consideras que debes honrar a estas personas.

_____

_____

¿Cómo les vas a honrar? Define aquí la forma en la cual tú has decidido honrar a estas personas, incluyendo lo que les vas a decir y lo que les vas a entregar.

_____

_____

¿Cuándo les vas a honrar? Organiza una fecha en la cual vas a llevar a cabo tu acto de honra. Tienes que pasar del pensamiento a la acción.

_____

_____

¿Dónde les vas a honrar? Escoge un lugar para honrar a estas personas.

_____

ACERCA DEL AUTOR

BIOGRAFIA JOSE R. CARUCCI

Originario de Venezuela se graduó en medicina en la Universidad Central de Venezuela en 1984. Realizó su práctica médica hasta 1994 cuando se mudó a los Estados Unidos de norte América. Recibió entrenamiento especial en "Traumas emocionales" en el Traumatology Center for Puerto Rico and the Caribbean certificado por el Traumatology Institute of Florida State University of Thallahassee, Florida. Recibió su Doctorado en filosofía en educación cristiana de visión International University en California.

Es el fundador de **Valley Of Decision Global**, un ministerio profético dedicado al establecimiento de una red global de Centros de Ayunos y centros de Oración.

Es el fundador de **King of Life** la cual es una red apostólica de iglesias en los Estados Unidos y otros países.

Es el fundador también de **Compassion Unlimited Global** el cual es un ministerio enfocado en la transformación social a traves de programas educativos y de salud principalmente.

Finalmente, es el fundador de **My Father's Entrepreneurs** el cual es un ministerio enfocado en la formación y capacitación de jóvenes cristianos como empresarios del Reino de Dios.

El Dr. José Carucci dicta talleres, seminarios y conferencias a entidades empresariales, asociaciones profesionales, gubernamentales, educativas y eclesiásticas en varias naciones.

Es el escritor, hasta el día de hoy, de doce libros entre ellos: El ayuno, Diseño productivo, Honra y Grandeza, las vestiduras de José, El proceso de Jacob, Principios de sabiduría, y Nutrición y Salud.

La motivación del Dr. Jose Carucci es desafiar a las personas a descubrir su identidad y propósito en la vida y guiarlos en su desarrollo pleno como reyes en esta tierra.

Es casado con Nelly Carucci, médico también, ambos están residenciados en los Estados Unidos junto a sus dos hijos adultos: Gabriel y Jonathan.

BIBLIOGRAFÍA

Biblia. Revised Standard Version.

Biblia. Reina-Valera Revisada, 1960.

De Silva, D. A. Honor and Shame, en (C. A. Evans & S. E. Porter, eds.)

Dictionary of New Testament Background: a compendium of contemporary biblical scholarship, Intervarsity Press, 2000.

Jamieson, Robert, A.R. Fausset, David Brown. Comentario exegético y explicativo de la Biblia, Tomo 1.

Silk, Danny, Culture of Honor, Destiny Image Publishers, 2009.